CB027425

# A voz do silêncio

e outros fragmentos selecionados do
LIVRO DOS PRECEITOS ÁUREOS

TRADUÇÃO PARA O INGLÊS E NOTAS
H. P. Blavatsky

TRADUÇÃO PARA O PORTUGUÊS
Fernando Pessoa

AJNA

# Nota da edição

Esta edição de *A voz do silêncio* corresponde à tradução de Fernando Pessoa publicada em 1916 pela Livraria Clássica Editora de A. M. Teixeira, de Lisboa. Os erros tipográficos foram corrigidos e a ortografia foi atualizada segundo o Acordo Ortográfico da Língua Portuguesa de 1990, que entrou em vigor no Brasil em 2009.

Na grafia dos termos *Buddha*, *buddhismo*, *budhista*, *Tau*, *Yoga* e *Yogi*, optou-se pelas formas já fixadas pela tradição em seu aportuguesamento, respectivamente, *Buda*, *budismo*, *budista*, *Tao*, *ioga* e *iogue*. Nos demais casos, a transliteração dos termos sânscritos foi mantida.

# Apresentação

Entre aqueles que contribuíram para o avanço da humanidade rumo a uma compreensão mais elevada dos mistérios da vida e do universo, para além da abordagem objetiva da ciência e dos dogmas das religiões, encontra-se Helena Petrovna Blavatsky (1831-1891), mística ucraniana que despontou no final do século XIX e é considerada por muitos pesquisadores como um dos maiores pilares do esoterismo ocidental em séculos.

Blavatsky dividiu época e opiniões, deixando um impacto profundo na consciência dos que a conheceram pessoalmente ou através de suas obras. *Maga, erudita, bruxa, charlatã, iluminada*... não faltaram epítetos com os quais foi cravejada – e alvejada – pelo público, mantendo-se, contudo, um mistério profundo para a maioria. Os raros que tiveram permissão para levantar o véu e a viram em sua verdadeira natureza são unânimes em confirmá-la como uma *mensageira* da Fraternidade de Mestres Secretos que orientam a evolução espiritual da

Terra, e que em intervalos precisos envia emissários para promover um novo impulso à humanidade.

Numa época em que a ciência se consolidava no paradigma newtoniano-cartesiano e se absolutizava numa abordagem materialista, e quando as religiões orientais eram vistas no Ocidente como oriundas de uma época de superstição antes da "luz salvadora do cristianismo", Blavatsky apareceu sozinha no tumulto do mundo, armada de uma sabedoria diamantina e vontade inquebrantável. Dona de conhecimentos desconcertantes e poderes psíquicos assombrosos, ela rapidamente impôs sua personalidade e formatou uma nova abordagem para os dilemas científicos e religiosos: o ocultismo, corrente milenar de conhecimentos especiais que vem guiando a humanidade veladamente através das épocas.

Blavatsky optou por chamar a sua nova apresentação do ocultismo de *teosofia*, termo consagrado pelos filósofos alexandrinos, que significa "Sabedoria Divina". Trata-se do substrato de todas as religiões tradicionais, unificadas para além de seus dogmas e superstições no âmago da Verdade atemporal. Em seu livro *A chave para a teosofia*, Blavatsky disse que "(...) como o sol da verdade se eleva cada vez mais no horizonte da percepção do homem, e cada raio de cor se desvanece gradualmente até que seja reabsorvido, a humanidade não será mais atormentada com polarizações artificiais, mas poderá gozar da pura e branca luz da verdade eterna. E esta será a teosofia".

O impacto daquela mulher insólita sobre o mundo ocidental, e mesmo sobre vários países orientais, foi imenso. Ela chegou na encruzilhada de uma guerra acirrada, sobretudo na Europa e nos Estados Unidos, entre três grandes correntes: 1) a *ciência positivista*, para a qual só o que fosse objetivo merecia ser considerado; 2) o *cristianismo*, que se opunha a outros credos e se colocava como a única religião sobre a Terra; e 3) o *espiritismo*, que demonstrava fenômenos espantosos atribuídos aos mortos, os quais agiriam por meio dos vivos. No meio desse combate, ficava o povo em geral sem saber quem seguir ou em quem acreditar, ora voltando-se para uma corrente, ora para outra.

Com a criação da Sociedade Teosófica em 1875, nos Estados Unidos, por Blavatsky e seus dois cofundadores americanos, Henry Steel Olcott e William Quan Judje, as ciências ocultas passaram a gozar de uma difusão vigorosa, principalmente através das publicações às quais Blavatsky consagrara sua vida. Por meio de livros que rapidamente se tornaram *best-sellers* e abalaram as opiniões em voga, gerando ao mesmo tempo assombro, encantamento e repúdio, Blavatsky desferiu um forte golpe nos preconceitos científicos, religiosos e mesmo culturais de uma época em ebulição.

Aquela estranha mulher, de olhar intensamente penetrante, parlamentava em pé de igualdade com eruditos e cientistas, dissolvendo suas proposições diante de uma sabedoria antiga que já apontava que a matéria não passava de energia condensada, e isso décadas antes da mecânica quântica ser formalmente elaborada. Ela também desafiava os clérigos nas torres de seus dogmas, mostrando-lhes que abaixo de cada dogma havia um fio condutor, que permitia ligá-lo à mesma verdade apregoada em outras religiões, indicando-lhes a origem comum de todas as crenças, e isso antes do estudo de religiões comparadas se tornar uma disciplina reconhecida. Finalmente, Blavatsky explicou a causa da fenomenologia espírita de acordo com as ciências ocultas, que repousava nos poderes desconhecidos do próprio homem e não na ação dos mortos, os quais até podiam ser contatados, mas não da forma que se supunha.

Para consubstanciar seus argumentos, Blavatsky citava nomes, datas, civilizações, obras e autores (antigos e modernos, conhecidos ou esquecidos), numa demonstração de erudição que parecia impossível para uma pessoa só. Mais do que isso, demonstrava o que afirmava, podendo reproduzir praticamente todos os fenômenos espíritas então em voga: materializações, desmaterializações, telepatia, clarividência, telecinesia, entre outros, apenas pelo poder de sua vontade.

Certamente, tudo isso não ficaria impune.

Blavatsky não escapou à sina de todo visionário, pois como ela própria afirmou: "a coroa do inovador é uma coroa de espinhos". E quantos foram os espinhos! Ela despertou primeiro o ódio dos religiosos, que a viam como uma bruxa perigosa a abalar os ditames da verdadeira fé. Consta que clérigos chegaram a lhe oferecer dinheiro para que parasse de publicar suas obras. Como a tática não funcionou, sobrou a difamação. Junto com os clérigos vieram os cientistas, desafiados em suas cátedras, e com eles até os pesquisadores do paranormal. A famosa Sociedade para Pesquisas Psíquicas da Inglaterra concluiu em 1886, por meio do Relatório Hodgson, que Blavatsky não passava de uma charlatã e falsificadora. Foram precisos cem anos para que a mesma Sociedade reconhecesse publicamente, em 1986, que o Relatório Hodgson fora tendencioso, inocentando Blavatsky. Finalmente, tendo explicado que os fenômenos espiritistas sem a filosofia do ocultismo não eram o que pareciam ser, podendo ser até perigosos, Blavatsky atraiu a ira dos espíritas de então, que não lhe pouparam libelos e acusações de toda ordem.

Apesar de tudo, a Sociedade Teosófica se robusteceu e atingiu vários países, agremiando associados de renome, como o cientista William Crookes, o inventor Thomas Edison e o astrônomo Camille Flammarion, além de incontáveis buscadores sinceros dos enigmas da vida. Segundo a pesquisadora alemã Katinka Hesselink, Helena Blavatsky influenciou em vida e postumamente quase cem grandes nomes da ciência, arte, filosofia e esoterismo. Entres eles, além dos três supracitados, constam os poetas e dramaturgos William Butler Yeats e Maurice Maeterlinck; os escritores Lewis Carroll, Lyman Frank Baum, Conan Doyle, T. S. Eliot e Khalil Gibran; os psicólogos William James e Roberto Assagioli; os pintores Piet Mondrian, Wassily Kandinsky, Paul Gauguin e Nicholas Roerich; os músicos Cyiril Scott, Gustav Mahler, Jean Sibelius e Alexander Scriabin; políticos como Mahatma Gandhi e Jawaharlal Nehru; e a educadora Maria Montessori.

Finalmente, segundo o teosofista Iverson L. Harris, em entrevista no ano de 1974 ao periódico norte-americano *The Journal of San Diego History*, Albert Einstein tinha sempre uma cópia de um dos livros de Blavatsky sobre sua mesa de trabalho, fato que teria sido confirmado por uma sobrinha do cientista em conversa com a teosofista Eunice Layton.

E foi mesmo pela sua obra que Blavatsky ficou eternizada. Para expor um pouco da sabedoria da qual era transmissora, Blavatsky - auxiliada por seus Mestres - escreveu livros que desde então entraram para o rol das obras consagradas do ocultismo e do esoterismo, sendo estudadas por ávidos buscadores no mundo todo, mesmo mais de cem anos após sua publicação. De acordo com muitos, tais obras ainda se constituem em livros de vanguarda.

Entre essas obras consta o livro que você tem em mãos, amigo leitor. Trata-se de uma das mais comemoradas obras de Helena Blavatsky, sendo a última escrita por ela. *A voz do silêncio* tem, contudo, um diferencial - nesse caso, Blavatsky não foi mais do que uma tradutora dos pergaminhos secretos dos quais este livro nasceu. Trata-se, então, de uma obra realmente especial, ainda mais por ser um guia oculto destinado aos iniciados que almejam a conquista da Sabedoria. *A voz do silêncio* tem sido considerado não só o livro mais belo, mas um dos mais esotéricos entre todos os escritos de Helena Blavatsky. Eruditos no mundo todo, entre eles o atual XIV Dalai Lama, elogiaram a beleza e a importância da obra, que traz, pela primeira vez na história, um pouco da sabedoria secreta do Oriente ao público ocidental.

Como surgiu este extraordinário livro?

Já no final da vida e muito debilitada, Helena Blavatsky viajou até a cidade francesa de Fontainebleau para repousar. Suas duas principais obras, *Ísis sem véu* e *A doutrina secreta* - além de outros escritos de menor envergadura - já tinham sido publicadas e eram sucesso editorial, consagrando-a como autora e ocultista. Foi durante esse período de repouso que Blavatsky recebeu ordens de seu mestre, conhecido como *Morya-El*, para traduzir alguns fragmentos de uma das obras secretas que ela havia lido enquanto estava em treinamento no Tibete. Ela permanecera no "país das neves" por três anos, a partir de 1868, numa localidade próxima a Shigatse, período em que seus poderes psíquicos foram grandemente aprimorados, sob a supervisão direta de seu mestre e de outro mestre conhecido como *Kut-Hu-Mi*, ou *Koot Hoomi*.

Conta Blavatsky que parte de seu treinamento no Tibete consistia em memorizar alguns fragmentos de um livro secreto e antiquíssimo, conhecido como *O livro dos preceitos áureos*, a mesma fonte de onde foram retiradas as famosas *Estâncias de Dzyan*, origem de seu outro livro *A doutrina secreta*. Esses manuscritos estavam escritos tanto no tibetano como na linguagem internacional dos iniciados, chamada *senzar* ou *zend-zar*, na qual Blavatsky se tornara proficiente.

Foi então dessa misteriosa fonte que nasceu *A voz do silêncio*. Trata-se de um manual para uso diário dos discípulos que já estão sob a supervisão de um mestre e se preparando para alcançar os altos estágios de desenvolvimento místico. Os fragmentos permitidos a Blavatsky traduzir foram organizados em número de três e revelam estágios progressivos de ascensão espiritual, delineando as armadilhas que o iniciado deve evitar e as "câmaras" místicas que deve atravessar antes que seu *Adeptado*, ou Iluminação, esteja confirmado.

Neste livro, vemos o mais belo ideal do budismo mahayana, o ideal do *bodhisatva*, explicado em todo o seu esplendor esotérico - forjar a iluminação da consciência, a conquista da mestria espiritual, não para o benefício próprio, mas para a elevação da humanidade. Àquele que alcançou a Luz, é recomendado que se volte para a região de sombras onde se debate a maioria dos seus irmãos humanos, presos na floresta dos erros, e compassivamente os ajude. *Bodhisatvas* são, pois, todos os mestres que estiveram em missão na Terra, como Zoroastro, Krishna, Lao-Tzu, Buda, Jesus, entre outros. É, na verdade, todo e qualquer ser humano que, conquistando a Sabedoria e esgotando a roda de reencarnações, consente em voltar voluntariamente à Terra em missão, para orientar.

*A voz do silêncio* foi publicada em 1889 e, rapidamente, se consagrou como a mais bela e mais inspirada obra de Helena Blavatsky, embora esta tenha sido, como vimos, apenas a tradutora. Cada sentença está repleta de poder oculto, cada frase carrega um significado esotérico, cujo alcance caberá ao leitor descobrir. Trata-se de um hino de valor imensurável e, ao mesmo tempo, de uma poesia de beleza transcendental, que metodicamente ruma o leitor encantado para as regiões do Eu Superior, região onde, somente nela e em nenhum outro lugar, se poderá conquistar a verdadeira Paz e a verdadeira Sabedoria.

O livro tem impressionado leitores em todo o mundo desde seu lançamento. Um deles foi o consagrado poeta Fernando Pessoa (1888-1935), que fez questão de traduzir a obra para o seu idioma. Em carta dirigida a seu amigo, o também poeta Mário de Sá-Carneiro, Fernando Pessoa fala da "crise" que a Teosofia abriu em sua forma de pensar, e na revolução interior daí desencadeada. Podemos imaginar a dimensão do impacto que esta obra ocasionou na alma do poeta místico português.

É, portanto, de se saudar que uma nova edição deste livro "sem idade" – pois remete à Eternidade, ao "Grande Além de Dentro" – esteja vindo à luz pela Ajna Editora, que disponibiliza a tradução de Fernando Pessoa de *A voz do silêncio* de forma esmerada e atualizada.

Como o misterioso idioma *senzar* é, segundo Blavatsky, a fonte do sânscrito, a tradução está repleta de termos nessa língua, para os quais Blavatsky acrescenta explicações em oportunas notas de rodapé, facilitando assim a compreensão do leitor. Portanto, recomendo uma leitura vagarosa, reportando-se sempre que necessário às notas de Blavatsky. A propósito, este não é um livro para ser lido, tampouco estudado, no sentido convencional. Trata-se de uma obra que requer uma "comunhão" com o leitor, para que a força de cada exortação, de cada sentença, cale fundo na alma e promova os efeitos desejados. Portanto, amigo leitor, escolha um lugar calmo para apreciar este livro. Medite sobre cada frase e anote suas reflexões em algum lugar. Não se apresse, pois você tem um tesouro imemorial em mãos. Use-o com inspiração.

Agradeço a honra de apresentar esta obra imortal, desejando que o leitor possa nela encontrar a verdadeira voz insonora no âmago de si mesmo, aquele "som sem som" que só a alma pode pronunciar e que, quando pronunciado, transforma completamente o ser. Possa *A voz do silêncio* ser, um dia, uma realidade permanente na consciência de cada um.

Boa leitura.

*Jamil Salloum Jr., jornalista e cofundador do canal no YouTube Realidade Fantástica.*

# Prefácio
# (Da tradução inglesa)

As páginas seguintes são extraídas de *O livro dos preceitos áureos*, uma das obras dadas a ler aos estudiosos do misticismo no Oriente. O seu conhecimento é obrigatório naquela escola cujos ensinamentos são aceitos por muitos teosofistas. Por isso, como sei de cor muitos destes preceitos, o trabalho de traduzi-los foi para mim fácil tarefa.

É bem sabido que na Índia os métodos de desenvolvimento psíquico divergem segundo os Gurus (professores ou mestres), não só porque eles pertencem a diferentes escolas de filosofia, das quais há seis, mas também porque cada Guru tem o seu sistema, que em geral mantém cuidadosamente secreto. Mas para além dos Himalaias não há diferença de métodos nas escolas esotéricas, a não ser que o Guru seja simplesmente um Lama, pouco mais sabendo do que aqueles a quem ensina.

A obra, de onde são os trechos que traduzo, forma parte da mesma série daquela de onde são tiradas as estrofes do *Livro de Dzyan,* sobre que

*A doutrina secreta* se baseia. Juntamente com a grande obra mística chamada *Paramartha*, a qual, segundo nos diz a lenda de Nagarjuna, foi ditada ao grande Arhat pelos Nagas ou serpentes – nome dado aos antigos iniciados – *O livro dos preceitos áureos* invoca a mesma origem. As suas máximas e conceitos, porém, por nobres e originais que sejam, encontram-se muitas vezes, sob formas diversas, em obras sânscritas, tais como o *Jnaneshvari*,[1] esse soberbo tratado místico em que Krishna, descreve a Arjuna, em cores brilhantes, a condição de um Yogi plenamente iluminado; e ainda em certos Upanishads. Isto, afinal, é naturalíssimo, visto que quase todos, senão todos, os maiores Arhats, os primeiros seguidores do Gautama Buda, foram hindus e árias, e não mongóis, sobretudo aqueles que emigraram para o Tibete. As obras deixadas só por Aryasangha são, só por si, numerosíssimas.

Os preceitos originais estão gravados sobre oblongos delgados; as cópias muitas vezes sobre discos. Estes discos ou chapas são geralmente conservados nos altares dos templos ligados aos centros onde estão estabelecidas as chamadas escolas "contemplativas" ou Mahayana (Yogacharya). Estão escritos de diversas maneiras, às vezes no idioma

---

1 O *Jnaneshvari*, tal qual hoje se conhece, está escrito em maharashtra (maratri), e consiste do *Bhagavad-Gita* e de um comentário sobre este.

do Tibete, mas principalmente em ideógrafos. A língua sacerdotal (senzar), além de por um alfabeto seu, pode ser traduzida em várias maneiras de escrita em caracteres cifrados, que têm mais de ideogramas do que de sílabas. Um outro método (*lug*, em tibetano) é o de empregar os números e as cores, cada um dos quais corresponde a uma letra do alfabeto tibetano (trinta letras simples e setenta e quatro compostas), formando assim um alfabeto criptográfico completo. Quando se empregam os ideógrafos há uma maneira certa de ler o texto; como, neste caso, os símbolos e os sinais usados na astrologia, a saber, os doze animais zodiacais e as sete cores primárias, cada uma tripla em seu matiz (claro, primário e escuro), representam as trinta e três letras do alfabeto simples, formando palavras e orações. Porque neste método os doze animais, cinco vezes repetidos e juntos aos cinco elementos e às sete cores, compõem um alfabeto completo de sessenta letras sagradas e doze signos. Um signo posto no princípio de um parágrafo indica se o leitor o tem de soletrar segundo o modo indiano (em que cada palavra é apenas uma adaptação sânscrita), ou segundo o princípio chinês de ler os ideógrafos. O modo mais fácil é, porém, aquele que não deixa o leitor empregar qualquer língua especial, ou a que quiser, visto que os sinais e os símbolos eram, como os números ou algarismos árabes, propriedade comum e internacional entre os místicos iniciados e os seus seguidores. A mesma peculiaridade é característica de uma das maneiras chinesas de escrever, que pode ser lida com igual facilidade por qualquer pessoa conhecedora dos caracteres: por exemplo, um japonês pode lê-la na sua língua tão prontamente como um chinês na sua.

*O livro dos preceitos áureos* – alguns dos quais são pré-budísticos, ao passo que outros pertencem a uma época posterior – contém uns noventa pequenos tratados distintos. Destes aprendi de cor, há muitos anos, trinta e nove. Para traduzir os outros, teria de me referir a apontamentos dispersos entre um número de papéis e notas, representando um estudo de vinte anos e nunca postos em ordem, demasiado grande para que a tarefa fosse fácil. Nem poderiam eles ser, todos, traduzidos e dados a um mundo demasiado egoísta e atado aos objetos dos sentidos para que pudesse estar preparado a receber com a devida atitude do espírito uma moral tão elevada. Porque, a não ser que um homem se entregue perseverantemente ao culto do conhecimento de si próprio, nunca poderá de bom grado dar ouvidos a conselhos desta natureza.

E contudo esta moral enche tomos e tomos da literatura oriental, sobretudo nos Upanishads. "Mata todo o desejo de viver", diz Krishna a Arjuna. Esse desejo mora apenas no corpo, veículo do ser encarnado, e não na própria Individualidade que é "eterna, indestrutível, que não mata nem é morta" (*Kathopanishad*). "Mata a sensação", ensina o *Sutta Nipata*; "olha do mesmo modo para o prazer e para a dor, para o ganho e para a perda, para a vitória e para a derrota". E ainda, "busca abrigo só no eterno" (*ibid.*). "Destrói o sentido da existência separada", repete Krishna de variadas maneiras. "O espírito (Manas) que segue os sentidos vagabundos torna a alma (Buddhi ) tão inerte como o barco que o vento arrasta sobre as águas" (*Bhagavad-Gita*, II, 67).

Por isso se julgou melhor fazer uma escolha judiciosa só dentre aqueles tratados que mais sirvam aos poucos verdadeiros místicos que há na Sociedade Teosófica, e que com certeza se ajustem às suas necessidades. Só esses compreenderão estas palavras de Krishna-Christos, a Personalidade Superior:

"Sábios, não choreis nem pelos vivos nem pelos mortos. Nunca deixei de existir, nem vós, nem estes reis dos homens; nem no futuro deixará qualquer de nós de existir" (*Bhagavad-Gita*, II, 11, 12).

Nesta tradução esforcei-me por conservar a beleza poética da expressão e das imagens, que caracteriza o original. Compete ao leitor avaliar até que ponto o consegui.

1889.
H. P. B.

*Dedicada a Poucos.*

# primeiro fragmento

# A voz do silêncio

Estas instruções são para aqueles que não conhecem os perigos dos Iddhi inferiores.[2]

Aquele que quiser ouvir a voz de Nada,[3] o Som sem som, e compreendê-la, terá que aprender a natureza do Dharana.[4]

Tendo-se tornado indiferente aos objetos da percepção, deve o aluno procurar o Raja dos sentidos, o produtor de pensamentos, aquele que acorda a ilusão.

O espírito é o grande assassino do Real.

---

2 A palavra páli Iddhi equivale ao Siddhis sânscrito, as faculdades "psíquicas", os poderes anormais no homem. Há duas espécies de Siddhis – um grupo que compreende as energias inferiores, grosseiras, "psíquicas" e mentais, ao passo que o outro exige o mais alto cultivo das capacidades espirituais. Diz Krishna no *Shrimad Bhagavat*: "Aquele que está ocupado na execução do Ioga, que venceu os seus sentidos e concentrou o seu espírito em mim (*Krishna*) – a tais iogues como esse estão todos os Siddhis prontos a servir".

3 A voz sem som, ou a "voz do silêncio". Literalmente, isto devia talvez traduzir-se "voz no som espiritual", visto que Nada é o equivalente sânscrito do termo senzar.

4 Dharana é a concentração intensa e perfeita do espírito sobre qualquer objeto interior, acompanhada da abstração completa de tudo quanto pertença ao universo exterior, ou mundo dos sentidos.

Que o discípulo mate o assassino.

Porque quando para si próprio a sua própria forma parecer irreal, como o parecem, ao acordar, todas as formas que ele vê em sonhos; quando deixar de ouvir os muitos, poderá divisar o Um – o som interior que mata o exterior.

Então, e só então, abandonará ele a região de Asat, o falso, para chegar ao reino de Sat, o verdadeiro.

Antes que a Alma possa ver, deve ser conseguida a harmonia interior, e os olhos da carne tornados cegos a toda a ilusão.

Antes que a Alma possa ouvir, a imagem (o homem) tem de se tornar surda aos rugidos como aos segredos, aos gritos dos elefantes em fúria como ao sussurro prateado do pirilampo de ouro.

Antes que a Alma possa compreender e recordar, ela deve primeiro unir-se ao Falador Silencioso, como a forma que é dada ao barro se uniu primeiro ao espírito do escultor.

Porque então a Alma ouvirá e poderá recordar-se.

E então ao ouvido interior falará

A Voz do Silêncio,

e dirá:

Se a tua Alma sorri ao banhar-se ao sol da tua vida; se a tua Alma canta dentro da sua crisálida de carne e de matéria; se a tua Alma chora dentro do seu castelo de ilusão; se a tua Alma se esforça por quebrar o fio de prata que a liga ao Mestre;[5] sabe, ó discípulo, que a tua Alma é da terra.

Quando ao tumulto do mundo a tua Alma[6] que desabrocha dá ouvidos; quando à voz clamorosa da grande ilusão[7] a tua Alma responde; quando se assusta ao ver as lágrimas quentes da dor, quando a ensurdecem os gemidos da angústia, quando a Alma se retira, como a tartaruga tímida, para dentro da concha da personalidade, sabe, ó discípulo, que do seu Deus silencioso a tua Alma é um sacrário indigno.

Quando, mais forte já, a tua Alma vai saindo do seu retiro seguro; quando, deixando o sacrário protetor, estende o seu fio de prata e avança; quando, ao contemplar a sua imagem nas ondas do espaço, ela murmura, "Isto sou eu" - declara, ó discípulo, que a tua Alma está presa nas teias da ilusão.[8]

Esta terra, discípulo, é a sala da tristeza, onde existem, pelo caminho das duras provações, armadilhas para prender o teu Eu na ilusão chamada "a grande heresia".[9]

---

5 O "grande Mestre" é o termo que os chelas empregam para designar a Personalidade Superior. Equivale ao Avalokiteshvara, e é o mesmo que o Adi-Buddha dos ocultistas do budismo, que o Atma dos Brahmanas, e que o Christos dos antigos Gnósticos.

6 "Alma" é aqui empregado para designar o Eu ou Manas humano, a que na nossa oculta divisão septenária se chama a Alma humana, para a distinguir das Almas espirituais e animais.

7 Maha-Maya, a grande ilusão, o universo objetivo.

8 Sakkayaditthi, a ilusão da personalidade.

9 Attavada, a heresia da crença na Alma, ou, antes, na separação da Alma ou Personalidade do Ser universal uno e infinito.

Esta terra, ó discípulo ignaro, não é senão a triste entrada para aquele crepúsculo que precede o vale da verdadeira luz – essa luz que nenhum vento pode apagar, e que arde sem óleo nem pavio.

Diz a grande Lei: "Para te tornares o conhecedor da Personalidade Total,[10] tens primeiro que conhecer a Personalidade". Para chegares ao conhecimento dessa Personalidade, tens de abandonar a personalidade à não personalidade, o ser ao não ser, e poderás então repousar entre as asas da Grande Ave. Sim, suave é o descanso entre as asas daquilo que não nasce, nem morre, mas é o Aum[11] através de eras eternas.[12]

---

10 O Tattvajnani é o conhecedor ou discriminador dos princípios na natureza e no homem: e Atmajnani é o conhecedor de Atma, ou da Personalidade Única universal.

11 Kala Hamsa, a ave ou cisne. Diz o *Nadavindupanishad* (Rig Veda) traduzido pela Sociedade Teosófica de Kumbakonam – "Considera-se a sílaba A como a asa direita da ave Hamsa, U a asa esquerda, M a cauda, e o Ardhamatra (meio-metro) diz-se ser a sua cabeça".

12 A eternidade tem para os orientais um sentido diverso do que tem para nós. Representa em geral os 100 anos ou idade de Brahma, a duração de um Mahakalpa, ou seja, um período de 311.040.000.000.000 anos. [No original em inglês, a autora usa o termo "kalpa" e não "mahakalpa". Segundo a cosmologia budista, um kalpa designa o período de tempo de 4.320.000.000 anos. E um mahakalpa, ou grande kalpa, é o período de tempo durante o qual um universo passa por quatro fases, ou yugas. Um ano de Brahma é composto por 720 kalpas (360 ciclos diurnos e 360 ciclos noturnos). Brahma vive 100 desses anos, o que corresponde a 72.000 kalpas. Esse valor quando multiplicado pelo número de anos de cada kalpa (4.320.000.000) tem como resultado 311.040.000.000.000 anos. (N.E.)]

Cavalga a Ave da Vida, se queres saber.[13]

Abandona a tua vida, se queres viver.[14]

Três salas, ó cansado peregrino, conduzem ao fim dos trabalhos. Três salas, ó conquistador de Mara, te trarão através de três estados[15] até ao quarto,[16] e daí até aos sete mundos[17] os mundos do descanso eterno.

Se queres saber os seus nomes, escuta-os e aprende-os.

O nome da primeira sala é Ignorância - Avidya.

É a sala em que viste a luz, em que vives e hás de morrer.[18]

O nome da segunda sala é a Sala da Aprendizagem.[19] Nela a tua Alma encontrará as flores da vida, mas debaixo de cada flor uma serpente enrolada.[20]

---

13 Diz o citado Nadavindu, "Um iogue que cavalga o Hamsa (*assim contempla sobre o Aum*) não é afetado por influências cármicas ou efeitos de pecados".

14 Abandona a vida de personalidade física se queres viver em Espírito.

15 Os três estados de consciência, que são: Jagrat, o de vigília; Svapna, o de sonho; e Sushupti, o estado de sono profundo. Estas três condições iogues conduzem ao quarto, que é -

16 O Turiya, o que está além do estado do sono sem sonhos, um estado de uma alta consciência espiritual.

17 Alguns místicos orientais indicam sete planos de ser, os sete Lokas ou mundos espirituais dentro do corpo de Kala Hamsa. O cisne fora do tempo e do espaço, convertível em o cisne *dentro do* tempo, quando se torna Brahma em vez de Brahman.

18 O mundo fenomênico só dos sentidos e da consciência terrena.

19 A sala da aprendizagem da época da provação.

20 A região astral, o mundo psíquico das percepções supersensuais e das visões ilusórias - o mundo dos médiuns. É a grande "serpente astral" de Éliphas Lévi. Nenhuma flor colhida nesse mundo

O nome da terceira sala é Sabedoria, para além da qual se estende o mar sem praias de Akshara, a fonte indestrutível da omnisciência.[21]

Se queres atravessar seguramente a primeira sala, que o teu espírito não tome os fogos da luxúria que ali ardem pela luz do sol da vida.

Se queres atravessar seguramente a segunda, não pares a aspirar o perfume de suas flores embriagantes. Se queres ver-te livre das peias cármicas, não procures o teu Guru nessas regiões mayavicas.

Os sábios não se demoram nas regiões de prazer dos sentidos.

Os sábios não dão ouvidos às vozes musicais da ilusão.

Procura aquele, que te dará o ser,[22] na Sala da Sabedoria, a sala que está para além, onde todas as sombras são desconhecidas e onde a luz da verdade brilha com uma glória imarcescível.

Aquilo que é incriado está dentro de ti, discípulo, assim como está naquela sala. Se queres possuí-lo, e unir as duas coisas, tens de despir os teus negros trajes de ilusão.

---

foi alguma vez trazida para a terra sem que trouxesse a sua serpente enroscada na haste. É o mundo da grande ilusão.

21 A região da plena consciência espiritual, para além da qual já não há perigo para quem lá chegou.

22 Ao Iniciado, que conduz o discípulo, pelos conhecimentos que lhe ministra, à sua segunda nascença, ou nascença espiritual, chama-se o pai, Guru ou Mestre.

Abafa a voz da tua carne, não deixes que qualquer imagem dos sentidos se entreponha entre a sua luz e a tua, para que assim as duas se fundam em uma. E, tendo aprendido a tua Ajnana,[23] abandona a Sala da Aprendizagem. Essa sala é perigosa pela beleza pérfida, e só é precisa para a tua provação. Acautela-te, Lanu, não vá a tua Alma, entontecida pelo brilho ilusório, demorar-se e enredar-se na sua luz enganadora.

Esta luz brilha na joia do grande enganador (Mara).[24] Enfeitiça os sentidos, cega o espírito e deixa o descuidado naufragado e sozinho.

A borboleta atraída para a chama da tua lâmpada noturna está condenada a ficar morta no azeite. A alma incauta, que não pode defrontar-se com o demônio escarninho da ilusão, voltará ao mundo escrava de Mara.

Olha as hostes das Almas. Vê como elas pairam sobre o mar tempestuoso da vida humana, e como, exaustas, sangrando, de asas quebradas, caem, uma após outra, nas ondas encapeladas. Batidas

---

23 Ajnana é a ignorância ou não sabedoria, o contrário do conhecimento, Jnana.

24 Mara é nas religiões exotéricas um demônio, um Asura, mas na filosofia esotérica é a personificação da tentação pelos vícios humanos, e, traduzido literalmente, quer dizer "aquilo que mata" a alma. É representado como um rei (dos Maras) com uma coroa onde brilha uma joia de tal fulgor que cega aqueles que para ela olham, e esse fulgor representa, é claro, a fascinação que o vício exerce sobre certas naturezas.

pelos ventos ferozes, perseguidas pelos vendavais, são arrastadas para os sorvedouros e somem-se pelo primeiro grande vórtice que encontram.

Se, passando pela Sala da Sabedoria, queres chegar ao vale da felicidade, fecha, discípulo, os teus sentidos à grande e cruel heresia da separação, que te afasta dos outros.

Que aquilo que em ti é de origem divina não se separe, engolfando-se no mar de Maya, do Pai Universal (a Alma), mas que o poder de fogo se retire para a câmara interior, a câmara do coração,[25] e o domicílio da Mãe do mundo.[26]

Então do coração esse poder subirá até a sexta região, à região média, ao lugar entre os teus olhos, quando se torna a respiração da Alma-Única, a voz que enche tudo, a voz do teu Mestre.

É só então que te podes tornar um "que anda nos céus"[27] que pisa os ventos por cima das ondas, cujo passo não toca nas águas.

---

25 A câmara *interior* do coração, chamada em sânscrito Brahma-pura. O "poder de fogo" é Kundalini.

26 O "poder" e a "mãe do mundo" são nomes dados a Kundalini - um dos poderes místicos iogues. É Buddhi considerado como um princípio ativo e não passivo (o que ele em geral é quando o consideramos apenas como o veículo ou cofre do espírito supremo, Atma). É uma força eletroespiritual, um poder criador que, quando chamado a agir, pode tão facilmente matar como criar.

27 Kechara, "o que passeia", ou "anda" nos céus. Conforme se explica no sexto Adhyaya dessa rainha das obras místicas, os *Jnaneshvari* - o corpo do iogue torna-se como que feito de vento; como "uma nuvem de onde nasceram membros", depois

Antes que ponhas o pé sobre o degrau superior da escada, da escada dos sons místicos, tens de ouvir de sete maneiras a voz do teu Deus interior.[28]

A primeira é como a voz suave do rouxinol cantando à sua companheira uma canção de despedida.

A segunda vem como o som de um címbalo de prata dos Dhyanis, acordando as estrelas lucilantes.

O terceiro é como o lamento melodioso de um espírito do oceano prisioneiro na sua concha.

E a este segue-se o canto da vina.[29]

O quinto como o som de uma flauta de bambu grita aos teus ouvidos.

Muda depois para um clamor de trompa.

O último vibra como o rumor surdo de uma nuvem de trovoada.

O sétimo absorve todos os outros sons. Eles morrem, e não tornaram a ouvir-se.

Quando os seis[30] estão mortos e postos aos pés do Mestre, então se integra o aluno no Único,[31] se torna esse Único e nele vive.

---

do que "ele (o *iogue*) contempla as coisas para além dos mares e das estrelas; ouve e compreende a linguagem dos Devas, e percebe o que se está passando no espírito da formiga".

28 A individualidade superior.

29 Vina é um instrumento de corda indiano parecido com o alaúde.

30 Os seis princípios; e isto quer dizer quando a personalidade inferior é destruída e a individualidade íntima se funde e perde no sétimo ou Espírito.

31 O discípulo torna-se uno com Brahman ou Atma.

Antes que possas entrar para esse caminho, tens de destruir o teu corpo lunar,[32] e limpar o teu corpo mental,[33] assim como ao teu coração.

As águas puras da vida eterna, límpidas e cristalinas, não podem misturar-se com as torrentes lamacentas da tempestade de monção.

O orvalho do céu brilhando ao primeiro raio do sol no coração do lótus, quando cai na terra torna-se uma gota de lama; vê como a pérola se tornou um bocado de lodo.

Luta com os teus pensamentos desonestos antes que eles te dominem. Trata-os como eles te querem tratar, porque, se os poupas, criarão raízes e crescerão, e repara, esses pensamentos dominar-te-ão até que te matem. Acautela-te, discípulo, não deixes aproximar-se mesmo a sua sombra. Porque ela crescerá, aumentará em tamanho e poder, e então essa coisa escura absorverá o teu ser antes que tenhas bem reparado na presença do monstro hediondo e negro.

Antes que o poder místico[34] te possa fazer um Deus, Lanu, deves ter adquirido a faculdade de matar, quando quiseres, a tua forma lunar.

---

32 A forma astral produzida pelo princípio cármico, o Kama Rupa, ou corpo de desejo.

33 Manasa Rupa. O primeiro refere-se ao ser astral ou pessoal; o segundo à individualidade, ou Eu reencarnante, cuja consciência no nosso plano, ou Manas inferior, tem de ser paralisada.

34 Kundalini, o poder serpentino ou fogo místico; chama-

A pessoa da matéria e a Pessoa do Espírito nunca se podem encontrar. Uma delas tem que desaparecer; não há lugar para ambas.

Antes que a mente da tua Alma possa compreender, deve a flor da personalidade ser esmagada em botão, e o verme dos sentidos destruído até não poder ressurgir.

Não podes caminhar no Caminho enquanto não te tornares, tu próprio, esse Caminho.[35]

Que a tua Alma dê ouvidos a todo o grito de dor como a flor do lótus abre o seu seio para beber o sol matutino.

Que o sol feroz não seque uma única lágrima de dor antes que a tenhas limpado dos olhos do que sofre.

Que cada lágrima humana escaldante caia no teu coração e ali fique; nem nunca a tires enquanto durar a dor que a produziu.

---

se-lhe o poder serpentino ou anelar por causa do seu progresso ou caminho em espiral no corpo do asceta que está desenvolvendo em si esse poder. É um poder oculto ou foático elétrico e ígneo, a grande força primitiva que está por dentro de toda a matéria orgânica e inorgânica.

35 Este Caminho é mencionado em todas as obras místicas. Como diz Krishna no *Jnaneshevari*: "Quando se contempla este caminho... quer sigamos para o Oriente em flor, quer para as câmaras do Ocidente, *sem movimento*, ó portador do arco, é *a viagem nesta estrada*. Neste caminho, qualquer que seja o lugar para onde queiramos ir, esse lugar nos tornamos". "Tu és o caminho" diz-se ao Adepto Guru, e diz este ao discípulo, depois da Iniciação. "Eu sou a estrada e o Caminho", diz um outro Mestre.

Estas lágrimas, ó tu de coração tão compassivo, são os rios que irrigam os campos da caridade imortal. É neste terreno que cresce a flor noturna de Buda,[36] mais difícil de achar, mais rara de ver, do que a flor da árvore Vogay. É a semente da libertação do renascer. Ela isola o Arhat tanto da luta como da luxúria, leva-o através dos campos do ser para a paz e a felicidade que só se conhecem na terra do silêncio e do não ser.

Mata o desejo; mas se o matares, cuida bem em que ele não renasça da morte.

Mata o amor da vida; mas, se matares Tanha,[37] que isso não seja pela ânsia da vida eterna, mas para substituir o eterno ao evanescente.

Não desejes nada. Não te indignes contra o Karma, nem contra as leis imutáveis da natureza. Mas luta apenas com o pessoal, o transitório, o evanescente e o que tem de perecer.

Auxilia a natureza e trabalha com ela; e a natureza ter-te-á por um dos seus criadores, obedecendo-te.

E ela abrirá de par em par diante de ti as portas das suas câmaras secretas, desnudará ao teu olhar os tesouros ocultos nas profundezas do seu seio virgem. Não poluída pela mão da matéria, ela revela os seus tesouros apenas aos olhos do Espí-

---

36 O grau de Adepto – a flor de Boddhisattva.

37 Tanha – a vontade de viver, o medo da morte e amor à vida, aquela força ou energia que causa o renascer.

rito – os olhos que nunca se fecham, os olhos para os quais não há véu em todos os seus reinos.

Então ela te mostrará o meio e a senda, a primeira porta, e a segunda, e a terceira, até a própria sétima porta. E então a meta, para além da qual estão, banhadas pelo sol do Espírito, glórias indizíveis, que só o olhar da Alma pode ver.

Há só uma senda até o Caminho; só chegado bem ao fim se pode ouvir a Voz do Silêncio. A escada pela qual o candidato sobe é formada de degraus de sofrimento e de dor; estes só podem ser calados pela voz da virtude. Ai de ti, pois, discípulo, se há um único vício que não abandonaste; porque então a escada abaterá e far-te-á cair; a sua base assenta no lodo fundo dos teus pecados e defeitos, e, antes que possas tentar atravessar esse largo abismo de matéria, tens de lavar os teus pés nas águas da renúncia. Acautela-te, não vás pousar um pé ainda sujo no primeiro degrau da escada. Ai daquele que ousa poluir um degrau com seus pés lamacentos. A lama vil e viscosa secará, tornar-se-á pegajosa, e acabará por colar-lhe o pé ao degrau; e, como uma ave presa no visco do caçador sutil, ele será afastado de todo o progresso ulterior. Os seus vícios tomarão forma e puxá-lo-ão para baixo. Os seus pecados erguerão a voz, como o riso e soluço do chacal depois do sol-pôr; os seus pensamentos tornar-se-ão um exército e levá-lo-ão consigo, como um escravo cativo.

Mata os teus desejos, Lanu, torna os teus vícios impotentes, até dares o primeiro passo na tua jornada solene.

Estrangula os teus pecados, torna-os mudos para sempre, antes que ergas um pé para subir a escada.

Faz calar os teus pensamentos e concentra toda a tua atenção sobre o teu Mestre, que tu por enquanto não vês, mas sentes.

Funde num só sentido todos os teus sentidos, se queres tornar-te seguro contra o inimigo. É só por aquele sentido que está oculto no vácuo do teu cérebro, que o caminho íngreme que conduz ao teu Mestre se pode revelar aos olhos indecisos da tua alma.

Longa e fatigante é a senda diante de ti, ó discípulo. Um único pensamento a respeito do passado que abandonaste puxar-te-á para baixo, e terás novamente que começar a ascensão.

Mata em ti toda a memória de experiências passadas. Não te voltes para trás, ou estás perdido.

Não creias que a luxúria pode alguma vez ser morta se é satisfeita ou saciada, porque isso é uma abominação inspirada por Mara. É alimentando o vício que ele se expande e torna forte, como o verme que se alimenta no seio da flor.

A rosa tem que tornar a ser o botão, nascido da sua haste paterna, antes que o parasita lhe tenha roído o seio e bebido a seiva da sua vida.

A árvore dourada dá as suas flores de joia antes que o seu tronco esteja gasto pela tormenta.

O aluno tem que tornar ao estado de infância que perdeu antes que o primeiro som lhe possa soar ao ouvido.

A luz do único Mestre, a única, eterna, luz dourada do Espírito, derrama os seus raios fulgurantes sobre o discípulo desde o princípio. Os seus raios atravessam as nuvens espessas e pesadas da matéria.

Ora aqui, ora ali, esses raios iluminam-na, como os raios do sol iluminam a terra através das espessas folhas da floresta. Mas, ó discípulo, a não ser que a carne seja passiva, a cabeça lúcida, a Alma firme e pura como um diamante que cintila, o fulgor não chegará à câmara, a sua luz do sol não aquecerá o coração, nem os sons místicos das alturas akáshicas[38] chegarão ao ouvido, por atento que ele esteja, no estágio inicial.

A não ser que ouças, não poderás ver.

A não ser que vejas, não poderás ouvir. Ouvir e ver, eis o segundo estágio.

---

38 Os sons místicos, ou a melodia mística, ouvidos pelo asceta no princípio do seu ciclo de meditação, chamado Anahatashabda pelos iogues. O Anahaha é o quarto dos Chakras.

Quando o discípulo vê e ouve, e quando cheira e gosta, com os olhos fechados, os ouvidos fechados, tapados o nariz e a boca; quando os quatro sentidos se fundem e estão prontos a tornar-se o quinto, aquele do tato interior – então passou ele para o quarto estágio.

E no quinto, ó matador dos teus pensamentos, todos estes têm de ser outra vez mortos até não ser possível reanimarem-se.[39]

Retira a tua mente de todos os objetos externos, de todas as vistas externas. Retira as imagens internas, para que não lancem uma sombra negra sobre a luz da tua Alma.

Estás agora em Dharana,[40] o sexto estágio.

Quando tiveres passado para o sétimo, ó bem-aventurado, não mais verás os Três sagrados,[41]

---

39 Isto quer dizer que no sexto estágio de desenvolvimento, que, no sistema oculto, é Dharana, cada sentido, no que a faculdade individual, tem de ser "morto" (ou paralisado) neste plano, passando a ser, e fundindo-se com o sétimo sentido, o mais espiritual.

40 Ver nota 4.

41 Cada estágio de desenvolvimento no Raja Yoga é simbolizado por uma figura geométrica. Esta é o triângulo sagrado e precede o Dharana. O △ é o sinal dos chelas, ao passo que outra espécie de triângulo é o dos altos Iniciados. É o "I" símbolo de que Buda falou e que ele empregou como símbolo da forma incorporada de Tathagata quando liberta dos três métodos do Prajna. Os estágios preliminar e inferior uma vez passados, o discípulo já não vê o △ mas sim o —, a abreviatura do —, o septenário completo. A sua verdadeira forma não é aqui dada porque é quase certo que seria aproveitada por qualquer charlatão e desconsagrada ao ser usada para fins fraudulentos.

porque te terás, tu próprio, tornado esses Três. Tu próprio e a mente, como gêmeos sobre uma linha, a estrela que é o teu guia brilha por cima, nas alturas.[42] Os Três que moram na glória e na felicidade inefáveis, agora perderam os seus nomes no mundo de Maya. Tornaram-se uma só estrela, o fogo que arde mas não queima, o fogo que é o Upadhi[43] da chama.

E isto, ó iogue do sucesso, é aquilo a que os homens chamam Dhyana,[44] o verdadeiro precursor do Samadhi.[45]

E agora a tua personalidade está perdida na Personalidade, tu para contigo próprio, imerso naquela Personalidade de onde primeiro irradiaste.

Onde está a tua individualidade, Lanu, onde está o próprio Lanu? É a fagulha perdida no meio

---

42 A estrela que brilha nas alturas é a Estrela da Iniciação. O sinal dos Shaivas, ou devotos da seita de Shiva, patrono de todos os iogues, é um ponto circular negro, agora, talvez, símbolo do sol, mas o da Estrela da Iniciação no ocultismo de outros tempos.

43 A base, Upadhi, da chama sempre inatingível, enquanto o asceta está nesta vida.

44 Dhyana é o último estágio antes do final, a não ser que nos tornemos um pleno Mahatma. Como já se disse, neste estado o Raja Yogi é ainda espiritualmente consciente da sua personalidade e da operação dos seus princípios superiores. Mais um passo, e estará no plano para além do sétimo, o quarto segundo certas escolas. Estas, depois da prática de Pratyabara – uma educação preliminar, para dominar o espírito e os pensamentos – contam Dharana, Dhyana e Samadhi, e envolvem os três sob o nome genérico de Sannyama.

45 Samâdhi é o estado em que o asceta perde a consciência de toda a individualidade, incluindo a sua. Torna-se o Todo.

do fogo, a gota dentro do oceano, o raio de luz sempre presente tornado o Todo e o fulgor eterno.

E agora, Lanu, tu és o agente e a testemunha, o que irradia e a irradiação, a luz no som, e o som na luz.

Conheces, ó bem-aventurado, os cinco impedimentos. Tu és o seu conquistador, o mestre do sexto, libertador dos quatro modos da verdade.[46] A luz que cai sobre eles brilha de ti, ó tu que foste discípulo, mas és professor agora.

E destes modos da verdade:

Não atravessaste tu o conhecimento de toda a dor – primeira verdade?

Não venceste tu o rei dos Maras em Tu, a porta da reunião – segunda verdade?[47]

Não destruíste tu o pecado à terceira porta, atingindo a terceira verdade?

Não entraste tu para Tao, o caminho que leva ao conhecimento – a quarta verdade.[48]

---

46 Os quatro modos da verdade são, no budismo do norte: Ku, o sofrimento ou miséria; Tu, a reunião das tentações; Mu, a destruição delas; e Tao, o Caminho. Os "cinco impedimentos" são o conhecimento da angústia, a verdade a respeito da fraqueza humana, restrições opressivas, e a absoluta necessidade de separação de todas as peias da paixão, e mesmo dos desejos. O "Caminho da salvação" é o último.

47 No portal da reunião está o rei dos Maras, o Maha-Mara, tentando cegar o candidato com o brilho da sua joia.

48 Este é o quarto dos cinco caminhos do renascer, que conduzem e arrastam todos os seres humanos para um perpétuo estado de tristeza e de alegria. Esses caminhos não passam de subdivisões do caminho único, o caminho seguido pelo Karma.

E agora, descansa sob a árvore de Bodhi, que é a perfeição de todo o conhecimento, porque, sabe-o, és possuidor de Samadhi – o estado da visão infalível.

Vê! Tornaste-te a luz, tornaste-te o som, és o teu Mestre e o teu Deus. Tu próprio és o objeto da tua busca: a voz sem falha, que ressoa através de eternidades, isenta de mudança, isenta de pecado, os sete sons em um,

A Voz do Silêncio.

*Aum Tat Sat.*

# segundo fragmento

# Os dois caminhos

E agora, ó Mestre da compaixão, ensina tu o caminho aos outros homens. Olha todos aqueles que, batendo para que os admitam, esperam na ignorância e na escuridão ver abrir-se a porta da suave Lei!

A voz dos candidatos:

Não quererás tu, Mestre da tua própria misericórdia, revelar a doutrina do coração?[49]

Recusar-te-ás a conduzir os teus servos até ao Caminho da libertação?

Diz o Mestre:

---

49 Às duas escolas da doutrina do Buda, a esotérica e a exotérica, chama-se respectivamente a doutrina do "coração" e a doutrina dos "olhos". A Bodhidharma, a religião da sabedoria na China – de onde os nomes passaram para o Tibete – chamou-lhes: os homens do Tsung (escola esotérica) e os do Kiau (escola exotérica). A primeira é assim chamada porque é o ensinamento que emanou do coração do Gautama Buda, ao passo que a doutrina dos olhos foi produto da sua cabeça ou cérebro. A doutrina do coração também se chama o selo da verdade, ou o verdadeiro selo, símbolo esse que se encontra encimando quase todas as obras esotéricas.

Os caminhos são dois; as grandes perfeições três; seis as virtudes que transformam o corpo na árvore da sabedoria.[50]

Quem se aproximará delas?

Quem primeiro entrará para elas?

Quem primeiro ouvirá a doutrina dos dois caminhos em um, a verdade sem véu a respeito do Coração Secreto?[51] A lei que, rejeitando o aprender, ensina a sabedoria, revela uma história de dor.

Ai de nós, ai de nós, que todos os homens possuam Alaya, sejam unos com a grande Alma, e que, possuindo-a, Alaya de tão pouco lhes sirva!

Repara como, qual a lua se reflete nas ondas tranquilas, Alaya é refletido pelos pequenos e pelos grandes, espelhado nos átomos ínfimos, e contudo não consegue chegar ao coração de todos. Ai de nós, que tão poucos sejam os homens que se aproveitem do dom, do dom sem preço, de aprender a verdade, a verdadeira percepção das coisas existentes, o conhecimento do não existente!

Diz o aluno:

---

50 A árvore da sabedoria é um título dado pelos aderentes da Religião da Sabedoria (Bodhidharma) àqueles que atingiram a altura do conhecimento místico – aos Adeptos. A Nagarjuna, o fundador da Escola Madhyamika, chamavam a árvore-dragão, sendo o dragão um símbolo de sabedoria e de conhecimento. A árvore é respeitada porque foi sob a árvore Bodhi (da sabedoria) que o Buda recebeu a sua nascença e esclarecimento, pregou o seu primeiro sermão, e morreu.

51 O Coração Secreto é a doutrina esotérica.

Ó Mestre, que farei eu para atingir a sabedoria? Ó sábio, que farei para conseguir a perfeição?

Procura os caminhos. Mas, ó Lanu, sê puro de coração antes que comeces a tua jornada. Antes que dês o primeiro passo, aprende a separar o real do falso, o transitório do eterno. Aprende sobretudo a separar a ciência de cabeça da sabedoria de Alma, a doutrina dos "olhos" da doutrina do "coração".

Sim, a ignorância é como uma vasilha fechada e sem ar: a Alma uma ave dentro dela. Não canta, nem pode mexer uma pena; mas, ela a ave canora, jaz num torpor e morre de não poder respirar.

Mas mesmo a ignorância é melhor do que a ciência de cabeça sem a sabedoria de Alma para a iluminar e guiar.

As sementes da sabedoria não podem germinar e crescer no espaço sem ar. Para viver e colher experiência, o espírito precisa de âmbito e profundeza e pontos que o guiem para a Alma de Diamante.[52] Não procures esses pontos no reino de Maya; mas ergue-te acima das ilusões, busca o eterno e imutável Sat,[53] desconfiando das falsas sugestões da fantasia.

Porque a mente é como um espelho; cobre-se de pó ao mesmo tempo que reflete.[54] Precisa que

---

52 A Alma de Diamante, Vajrasattva, um título do Buda supremo, Senhor de todos os mistérios, chamado Vajradhara e Adi-Buddha.

53 Sat, a única realidade e verdade eterna e absoluta, sendo tudo mais ilusão.

54 Da doutrina de Shin-Sien, que ensina que a mente humana

as brisas leves da sabedoria de Alma limpem o pó das nossas ilusões. Procura, ó principiante, fundir a tua mente e a tua Alma.

Afasta-te da ignorância, e da ilusão também. Vira o rosto às decepções do mundo; desconfia dos teus sentidos; eles mentem. Mas dentro do teu corpo – escrínio das tuas sensações – procura no impessoal o Homem Eterno;[55] e, tendo-o procurado, olha para dentro; tu és Buda.[56]

Rejeita o aplauso, ó crente; o aplauso conduz à ilusão de si próprio. O teu corpo não é Personalidade, a tua Personalidade é em si sem corpo, e o elogio ou a censura não a atingem.

O contentamento de si próprio, ó discípulo, é uma torre altíssima, à qual um insensato orgulhoso subiu. Ali se senta em orgulhosa solidão, invisível a todos, salvo a si próprio.

A falsa ciência é rejeitada pelos sábios, e espalhada aos ventos pela Boa Lei. A sua roda gira para todos, para os humildes como para os orgulhosos. A doutrina dos olhos[57] é para a multidão; a dou-

---

é como um espelho que atrai e reflete todos os átomos de pó, e tem de ser, como esse espelho, cuidada e limpa todos os dias. Shin-Sien foi o sexto patriarca da China Setentrional, que ensinou a doutrina esotérica do Bodhidharma.

55 Os Budistas do Norte chamam ao Eu reencarnante o Homem Eterno, que se torna, em união com o seu ser superior, um Buda.

56 Buda significa "esclarecido".

57 Veja a nota 49. O Budismo *exotérico* das massas. [Esta nota foi omitida na edição da tradução de Fernando Pessoa. (N.E.)]

trina do coração para os eleitos. Os primeiros repetem, orgulhosos: "Vede, eu sei"; os últimos, aqueles que humildemente fizeram a sua colheita, confessam em voz baixa: "Assim ouvi".[58]

"Grande Peneireira" é o nome da doutrina do coração, ó discípulo.

A roda da Boa Lei gira rapidamente. Noite e dia mói. O joio afasta do trigo dourado, e a casca da farinha. A mão do Karma guia a roda; as rotações marcam o bater do coração cármico.

O verdadeiro conhecimento é a farinha, a falsa ciência é a casca. Se queres comer o pão da sabedoria, tens de amassar a tua farinha com a água límpida de Amrita.[59] Mas se amassas cascas com o orvalho de Maya, só podes criar alimento para as pombas negras da morte, as aves da nascença, da decadência e da tristeza.

Se te disserem que para te tornares Arhan tens de deixar de amar todas as coisas - dize-lhes que mentem.

Se te disserem que para te libertares tens de odiar a tua mãe e desprezar o teu filho; de renegar o teu pai e chamar-lhe dono de casa;[60] de renun-

---

58 A fórmula costumada que precede as escrituras budistas, e significa que o que segue foi notado de direta tradição oral do Buda e dos Arhats.

59 A imortalidade.

60 Rathapala, o grande Arhat, assim se dirige a seu pai na lenda chamada *Rathapala Sutrasanne*. Mas como todas

ciar toda a compaixão pelos homens e pelos animais – dize-lhes que as suas palavras são falsas.

Assim ensinam os Tirthikas,[61] os descrentes.

Se te ensinarem que o pecado nasce da ação e a felicidade da inação absoluta, dize-lhes que se enganam. A não permanência da ação humana, a libertação da mente da sua escravidão pela cessação do pecado e das culpas não são coisas para os Eus Devas.[62] Assim reza a doutrina do coração.

O Dharma dos olhos é a corporalização do externo e do não existente.

O Dharma do coração é a corporalização de Bodhi,[63] o eterno e o permanente.

A lâmpada brilha bem quando estão limpos pavio e óleo. Para os limpar é preciso quem os limpe. A chama não sente o processo de limpeza. "Os ramos de uma árvore são sacudidos pelo vento; o tronco fica imóvel."

Tanto a ação como a inação podem caber em ti; o teu corpo agitado, a tua mente tranquila, a tua Alma límpida como um lago de montanha.

---

essas lendas são alegóricas (por ex., o pai de Rathapala tem uma casa com sete portas), compreende-se a reprimenda àqueles que as aceitam literalmente.

61 Brahmanas ascéticos, visitadores de sacrários, sobretudo lugares de banhos sagrados.

62 Os Eus reencarnantes.

63 A sabedoria verdadeira e divina.

Queres tu tornar-te um iogue do círculo do tempo? Então, ó Lanu:

Não creias que te sentando em florestas escuras, em orgulhosa reclusão, longe dos homens; não creias que a vida alimentada a plantas e raízes, saciada a sede com a neve da grande Cordilheira – não creias, ó devoto, que isto te levará à meta da libertação final.

Não julgues que o partir dos ossos, o rasgar da carne e dos músculos, te unirá a tua Personalidade silenciosa.[64] Não julgues que quando estão vencidos os pecados da tua forma grosseira, ó vítima das tuas sombras,[65] o teu dever está cumprido para com a natureza e com os homens.

Os bem-aventurados não quiseram fazer assim. O Leão da Lei, o Senhor da Misericórdia, percebendo a verdadeira causa da dor humana, imediatamente abandonou o repouso suave mas egoísta das solidões sossegadas. De Aranyaka[66] tornou-se o Mestre da humanidade. Depois de Julai[67] ter entrado para o Nirvana, ele pregou em montanhas e em planícies, fez sermões nas cidades, aos Devas, aos homens e aos Deuses.[68]

---

64 A Personalidade Superior, o sétimo princípio.

65 Aos nossos corpos físicos chama-se sombras nas escolas místicas.

66 Um eremita que se retira para as selvas, vivendo numa floresta quando se tornando iogue.

67 Julai é o nome chinês para Tathagata, título dado ao Buda.

68 Todas as tradições do Norte e do Sul concordam em

Semeia boas ações e colherá o seu fruto. A inação num ato de misericórdia passa a ser a ação num pecado mortal.

Diz assim o Sábio:

Porque queres abster-se da ação? Não é assim que a tua Alma conseguirá a sua liberdade. Para chegar ao Nirvana é preciso chegar ao conhecimento de Si próprio, e o conhecimento de Si próprio é filho de ações caridosas.

Tem paciência, candidato, como quem não teme falhar, nem procura triunfar. Fixa o olhar da tua Alma na estrela cujo raio és,[69] a estrela chamejante que brilha nas profundezas sem luz do ser eterno, nos campos sem limite do desconhecido.

Tem perseverança, como quem tem de suportar para sempre. As tuas sombras vivem e desaparecem;[70] aquilo que em ti viverá para sempre, aquilo que em ti conhece (porque é o conhecimento) não é da vida transitória: é o Homem que foi, que é, e que há de ser, para quem a hora nunca soará.

---

mostrar que Buda saiu da sua solidão logo que resolveu o problema da vida – isto é, recebeu o esclarecimento interior – e ensinou publicamente os homens.

69 Segundo o ensinamento esotérico, cada Eu espiritual é um raio de um espírito planetar.

70 Às personalidades, ou corpos físicos, chama-se sombras, por serem evanescentes.

Se queres colher a suave paz e o descanso, discípulo, semeia as sementes do mérito nos campos das colheitas futuras. Aceita as dores da nascença.

Afasta-te da luz do sol para a sombra, para dares mais espaço aos outros. As lágrimas que regam o solo árido da dor e da tristeza fazem nascer as flores e os frutos da retribuição cármica. Da fornalha da vida humana e do seu fumo denso, saltam chamas aladas, chamas purificadas, que, erguendo-se alto, sob o olhar cármico tecem por fim o tecido glorioso das três vestes do Caminho.[71]

Essas vestes são: Nirmanakaya, Sambhogakaya, e Dharmakaya, traje sublime.[72]

A veste Shangna,[73] é certo, pode comprar a luz eterna. A veste Shangna, só por si, dá o Nirvana da destruição; para o renascer, mas, ó Lanu, também mata a compaixão. Os Budas perfeitos, que vestem a glória do Dharmakaya, já não podem contribuir para a salvação humana. Ai de nós! Devem as

---

71 Ver nota *ad finem*. [nota 128].

72 *Ibid.*

73 A veste Shangna, do Shangna-vesu de Raja-griha, o terceiro grande Arhat, ou patriarca, segundo a terminologia que os orientalistas adotam para a hierarquia dos trinta e três Arhats que espalharam o budismo. "A veste Shangna" significa metaforicamente a aquisição de sabedoria com que se entra para o Nirvana da destruição (da personalidade). Literalmente, quer dizer a veste da Iniciação dos neófitos. Edkins afirma que este tecido de ervas foi trazido para a China do Tibete na dinastia Tong. "Quando nasce um Arhan, esta planta encontra-se crescendo num lugar limpo" diz a lenda chinesa, assim como a tibetana.

personalidades ser sacrificadas a uma só? Deve a humanidade ser sacrificada ao bem de indivíduos?

Aprende, ó principiante, que este é o caminho aberto, o caminho para a felicidade egoísta, evitado pelos Bodhisattvas do Coração Secreto, os Budas da Compaixão.

Viver para servir a humanidade é o primeiro passo. Praticar as seis virtudes gloriosas[74] é o segundo.

Vestir a veste humilde do Nirmanakaya é rejeitar para si a felicidade eterna, para poder auxiliar a salvação humana. Chegar à felicidade do Nirvana, mas renunciar a ela, é o passo supremo, final - o mais alto no caminho da renúncia.

Aprende, ó discípulo, que é este o caminho secreto, escolhido pelos Budas da perfeição, que sacrificaram a sua Personalidade a personalidades mais fracas.

Mas, se a doutrina do coração é alta demais para ti, se precisas de te auxiliar a ti próprio e receias oferecer auxílio aos outros - então, tu de coração tímido, acautela-te a tempo: contenta-te com a doutrina ocular da Lei. Continua esperando. Porque se o Caminho secreto não é atingível hoje, amanhã[75] estará ao teu alcance. Aprende que não há esforço, por pequeno que seja - quer no bom

---

74 Praticar o caminho Paramita quer dizer tornar-se iogue com o fim de se tornar asceta.

75 "Amanhã" quer dizer a renascença ou reencarnação seguinte.

sentido, quer no mau – que possa perder-se e desaparecer do mundo das causas. Mesmo o fumo dado ao vento não é sem rasto. "Uma palavra brusca dita em vidas passadas não se perde, mas renasce sempre".[76] A pimenteira não produz rosas, nem a estrela de prata do jasmim se torna espinho ou cardo.

Podes criar hoje as tuas oportunidades de amanhã. Na grande jornada,[77] as causas semeadas cada hora produzem cada qual a sua colheita de efeitos, porque uma justiça inalterável rege o mundo. Com o vasto alcance de ação infalível ela traz aos mortais vidas de alegria ou de angústia, a prole cármica dos nossos pensamentos e ações anteriores.

Aceita pois tanto quanto o mérito te reserva, ó de coração paciente. Anima-te e contenta-te com a sorte. Tal é o teu Karma, o Karma do ciclo dos teus nascimentos, o destino daqueles que, na sua dor e tristeza, nascem a ti ligados, riem e choram de vida a vida, presos às tuas ações anteriores.

Age tu por eles hoje, e eles agirão por ti amanhã.

É do botão da renúncia da sua própria personalidade que nasce o fruto doce da libertação final.

---

76 Dos preceitos da escola Prasanga.

77 A grande jornada é o ciclo completo de existências em uma volta.

Condenado a perecer é aquele que por medo de Mara deixa de auxiliar os homens, receando agir pela personalidade. O peregrino que quer refrescar os seus membros lassos em águas correntes, mas não mergulha por medo à corrente, arrisca-se a morrer de calor. A inação baseada no medo egoísta não pode dar senão mau fruto.

O devoto egoísta vive inutilmente. Vive em vão o homem que não realiza na vida a obra para que nasceu.

Segue a roda da vida; segue a roda do dever para com a tua raça e os do teu sangue, para com o amigo e o inimigo, e fecha a tua mente aos prazeres como à dor. Esgota a lei da retribuição cármica. Adquire siddhis para o teu nascimento futuro.

Se não podes ser o sol, sê então o humilde planeta. Sim, se te é impossível brilhares como o sol do meio-dia sobre o monte nevado da pureza eterna, então escolhe, ó neófito, uma carreira mais humilde.

Aponta o caminho – por apagadamente que o faças, e perdido entre as turbas – como a estrela da tarde àqueles que caminham pela escuridão.

Olha Migmar, quando nos seus véus carmesins o seu olhar se derrama sobre a Terra que dorme. Olha a aura de fogo da mão de Lhagpa estendida com amorosa proteção por sobre as cabeças dos seus ascetas. Ambos são agora servos de Nyima,[78]

---

78 Nyima, o sol na astrologia tibetana. Migmar ou Marte é simbolizado por um olho, e Lhagpa ou Mercúrio por uma mão.

ficando, na sua ausência, sentinelas silenciosas na noite. Foram, contudo, em kalpas passados, Nyimas brilhantes, e talvez em dias futuros se tornem outra vez dois sóis. Tais são as descidas e subidas da lei cármica na natureza.

Sê, ó Lanu, como eles. Dá luz e conforto ao peregrino cansado, e procura aquele que sabe ainda menos do que tu; que na sua desolação miserável está faminto do pão da sabedoria e do pão que alimenta a sombra, sem Mestre, esperança ou consolação, e fá-lo ouvir a Lei.

Dize-lhe, ó candidato, que aquele que faz do orgulho e do egotismo servos da devoção; que aquele que, tenaz da sua existência, em todo o caso depõe a sua paciência e submissão à Lei como uma flor aos pés de Shakya-Thub-pa,[79] se torna Srotapatti[80] neste nascimento. Os Siddhis da perfeição podem ainda estar longe; muito longe; mas está dado o primeiro passo, ele entrou para o rio, e pode adquirir a visão da águia das montanhas, o ouvido da tímida corça.

Dize-lhe, ó aspirante, que a verdadeira devoção lhe pode tornar a dar o conhecimento, aquele

---

79 Buda.

80 Srotapatti ou "aquele que entra no riacho" do Nirvana, a não ser que atinja a meta devido a razões excepcionais, raras vezes poderá atingir o Nirvana em uma nascença. Em geral diz-se que um chela começa o esforço ascensional em uma vida e o acaba ou chega à meta apenas na sua sétima nascença despois dessa.

conhecimento que era seu nas suas nascenças anteriores. A visão deva e o ouvido deva não se podem obter em uma breve nascença.

Sê humilde, se queres adquirir a sabedoria: sê mais humilde ainda, quando a tiveres adquirido.

Sê como o oceano, que recebe todos os rios e riachos. A calma imensa do oceano não se perturba: recebe-os e não os sente.

Domina o teu ser inferior como o teu ser divino. Domina o divino com o eterno.

Sim, grande é aquele que mata o desejo: maior ainda é aquele em quem a divina Personalidade matou o próprio conhecimento do desejo.

Põe-te de guarda ao inferior, para que não deslustre o superior.

O caminho para a libertação final está dentro da tua personalidade. Esse caminho começa e acaba fora da personalidade.[81]

Sem elogios de todos os homens e humilde é a mãe de todos os rios na vista orgulhosa de Tirthika; vazia a forma humana, ainda que cheia das águas suaves de Amrita ao olhar dos insensatos. E contudo a origem dos rios sagrados é a terra sagrada,[82] e aquele que possui a sabedoria é respeitado por todos os homens.

---

81 Isto é, o ser inferior pessoal.

82 Os Tirthikas, sectários bramânicos de além dos Himalaias, são chamados infiéis pelos budistas

Arhans e Sábios da visão ilimitada[83] são raros como a flor da árvore Udambara. Os Arhans nascem à meia-noite, com a planta sagrada de nove e sete caules,[84] a flor sagrada que desabrocha e floresce na escuridão, saída do orvalho puro e do leito gelado das alturas nevadas, alturas que nenhum pé pecador pisou.

Nenhum Arhan, ó Lanu, se torna um naquela nascença em que pela primeira vez a Alma começa a ansiar pela libertação final. E contudo, ó ansioso, a nenhum guerreiro oferecendo-se voluntariamente para a terrível luta entre o vivo e o morto,[85] a nenhum recruta pode ser recusado o direito de entrar no caminho que conduz ao campo de batalha.

Porque ou vence ou cai.

Sim, se vence, o Nirvana será seu. Antes de abandonar a sua sombra, de enjeitar a sua veste mortal, essa causa abundante de angústia e de dor ilimitável, os homens honrarão nele um Buda grande e sagrado.

E se cai, mesmo assim não cai em vão; os inimigos que abateu na última batalha não tornarão a viver na nascença seguinte dele.

---

na terra sagrada, o Tibete, e vice-versa.

83 A visão ilimitada, ou seja, a visão psíquica, sobre-humana. Diz-se que um Arhan vê e sabe tudo, perto ou longe que esteja.

84 V. nota *supra*, sobre a planta Shangna. [nota 73]

85 O vivo é o Eu superior e imortal e o morto o Eu inferior e pessoal.

Mas, se queres chegar ao Nirvana, ou rejeitar esse prêmio,[86] não deixes o fruto da ação e da inação ser o teu motivo, ó de coração indômito.

Aprende que ao Bodhisattva que troca a libertação pela renúncia para vestir as angústias da vida secreta,[87] chama-se três vezes venerado, ó candidato à dor através dos ciclos.

O Caminho é um, discípulo, mas, no fim, duplo. Marcados estão os seus estágios por quatro e sete portas. A uma extremidade a felicidade imediata, à outra a felicidade renunciada. Ambos são a recompensa do mérito: a escolha a ti pertence.

O um torna-se os dois, o patente e o secreto.[88] O primeiro leva à meta, o segundo à imolação de si próprio.

Quando ao permanente o mutável se sacrifica, o prêmio é teu; volta a gota ao lugar de onde veio. O Caminho aberto conduz à mudança imutável - Nirvana, o estado glorioso do absoluto, a felicidade para além da concepção humana.

Assim, o primeiro caminho é a libertação.

O Caminho secreto conduz o Arhan a uma angústia mental inexprimível; dor pelos mortos que estão vivos,[89] e compaixão inútil pelos homens

---

86 V. nota *ad finem*. [nota 128]

87 A vida secreta é a vida como Nirmanakaya.

88 O Caminho aberto é o que é ensinado ao laico, é o exotérico e geralmente aceito, ao passo que o caminho secreto é um cuja natureza é explicada na Iniciação.

89 Aos homens ignorantes das verdades e sabedoria

da tristeza cármica; o fruto do Karma não ousam os Sábios fazer parar.

Porque está escrito: "Ensina a evitar todas as causas; à maré do efeito, como à grande onda, deixarás seguir o seu curso".

O caminho aberto, mal chegaste ao seu fim, levar-te-á a rejeitar o corpo bodhisattvico, e far-te-á entrar para o estado três vezes glorioso de Dharmakaya,[90] que é o eterno esquecimento dos homens e do mundo.

A estrada secreta também conduz à felicidade paranirvanica – mas ao termo de kalpas inúmeros; Nirvanas ganhos e perdidos por uma piedade e compaixão ilimitadas pelo mundo de mortais iludidos.

Mas diz-se: "O último será o maior". Samyak Sambuddha, o Mestre da perfeição, abandonou a sua Personalidade para salvação do mundo, parando no limiar do Nirvana, o estado de pureza.

Tens agora o conhecimento com respeito aos dois caminhos. Chegará o momento em que tenhas que escolher, ó de Alma ansiosa, quando tiveres chegado ao fim e passado as sete portas. A tua mente está lúcida. Já não estás preso em pensamentos que te ilu-

---

esotéricas chama-se os mortos que vivem.

90 V. nota *ad finem*. [nota 128]

dem, porque aprendeste tudo. Sem véu está diante de ti a Verdade, e fita-te gravemente. Diz ela:

"Doces são os frutos do descanso e da libertação por causa da Personalidade; mas mais doces ainda os frutos do dever longo e amargo; sim, da renúncia por amor aos outros, aos homens que sofrem."

O Bodhisattva que ganhou a batalha, que tem o prêmio na mão, mas exclama, na sua divina compaixão:

"Por amor aos outros abandono esta grande recompensa" – realiza a renúncia maior.

Repara! A meta da felicidade e o longo Caminho da dor estão no extremo fim. Podes escolher um ou outro, ó aspirante à tristeza, através dos ciclos que hão de vir!

*Aum vairapani hum.*

# terceiro fragmento

# As sete portas

"Acharya,[91] a escolha está feita. Anseio pela sabedoria. Rasgaste já o véu que escondia o caminho secreto e ensinaste o Yana[92] superior. O teu servo aqui está, pronto para que o guies."

Está bem, Shravaka.[93] Prepara-te, porque terás que seguir sozinho. O mestre só pode apontar a direção. O caminho é um para todos, o meio de chegar à meta deve variar de peregrino para peregrino.

---

91 Acharya é um preceptor espiritual, um Guru. Os budistas do norte escolhem-nos em geral entre os Naljor, homens santos, eruditos do Gotrabhujnana e no Jnana-darshana-shuddi, professores da sabedoria secreta. [No original, a autora usa o termo "upadhyaya" e não "acharya". Upadhyaya era um monge sênior que tinha autoridade para ministrar os preceitos. Um upadhyaya passava pelo menos dez anos em um monastério budista antes de ser nomeado. (N.E)]

92 Yana - veículo: assim Mahayana é o grande veículo e Hinayana o veículo menor, nomes estes de duas escolas de ciência religiosa e filosófica no budismo do norte.

93 Shravaka - um escutador, ou estudante que escuta as instruções religiosas. Do radical Shru. Quando da teoria passa à prática ou realização do ascetismo, torna-se um Shramana, exercedor, de Shrama, ação. Como mostra Hardy, as duas formas correspondem às palavras *akoustikoi* e *asketai* dos gregos.

Qual é que vais escolher, ó de coração indômito? O Samtan[94] da doutrina dos olhos, quádruplo Dhyana, ou abrirás caminho através das Paramitas,[95] seis em número, nobres portas da virtude conduzindo a Bodhi e a Prajna, sétimo passo da sabedoria?

O caminho árduo do quádruplo Dhyana ondula montanha acima. Três vezes grande é aquele que chega ao píncaro altíssimo.

As alturas de Paramita são atravessadas por um caminho ainda mais íngreme. Tens de forçar o teu caminho através de sete portas, sete fortalezas guardadas por poderes cruéis e ardilosos - paixões encarnadas.

---

94 O Samtan tibetano é o mesmo que o sânscrito Dhyana, ou estado de meditação, do qual há quatro graus.

95 Paramitas, as seis virtudes transcendentais: caridade, moralidade, paciência, energia, contemplação e sabedoria. Para os sacerdotes há dez, as seis apontadas, e além delas, o emprego dos meios justos, a ciência, votos religiosos e força de propósito (*O Budismo Chinês*, de Eitel).

Anima-te, discípulo; tem sempre presente o preceito áureo. Uma vez passada a porta Srotapatti,[96] "aquele que entrou para o rio", o teu pé uma vez posto sobre o leito do rio nirvânico nesta vida ou em qualquer vida futura; tens apenas diante de ti mais sete nascenças, ó homem de vontade de ferro.

Repara. Que vês tu diante dos teus olhos, ó aspirante à sabedoria divina?

"O manto da escuridão cobre a profundeza da matéria; nas suas dobras me debato. Aprofunda-se, Senhor, à medida que para ele olho; um gesto da tua mão o desfaz. Mexe-se uma sombra, arrastando-se como as dobras coleantes da serpente... Cresce, alastra-se, e desaparece na escuridão".

É a sombra de ti próprio fora do Caminho, caindo sobre a escuridão dos teus pecados.

---

96 Srotapatti – literalmente, "aquele que entrou para o rio" que conduz ao oceano nirvânico. Este nome indica o primeiro Caminho. O nome do segundo é o Caminho do Sakridagamin, "aquele que receberá a nascença (só) uma vez mais". Ao terceiro chama-se aquele do Anagamin, "aquele que não tornará a ser reencarnado", a não ser que assim deseje para auxiliar a humanidade. O quarto caminho é conhecido como o do Rahat ou Arhat. É este o mais alto. Um Arhat vê o nirvana durante a sua vida. Para ele não é um estado para depois da morte: é o seu Samadhi, durante o qual experimenta toda a felicidade do nirvana. (Para se ver quão pouca confiança se pode ter nos orientalistas no que respeita à exatidão de palavras e do seu sentido, basta ver o que disseram três pretensas autoridades nesta matéria. Assim, os quatro nomes que citamos são dados por R. Spence Hardy como sendo: 1. Sowan; 2. Sakradagami; 3. Anagami; e 4. Arya. Pelo Rev. J. Edkins são dados como: 1. Srotapanna; 2. Sagardagam; 3. Anaganim; e 4. Arhan. Schlagintweit escreve-os de maneira diversa, e cada um destes orientalistas dá a estas palavras sentidos diferentes).

"Senhor, sim, vejo o Caminho: o seu princípio fincado no lodo, o seu cimo perdido na nirvânica luz gloriosa: e agora vejo os portais cada vez mais estreitos na estrada árdua e espinhosa para Jnana".

Vês bem, Lanu. Esses portais levam o aspirante a atravessar o rio para a outra margem.[97] Cada portal tem uma chave de ouro que abre a sua porta; e essas chaves são:

1. Dana, a chave da caridade e do amor imortal.
2. Shila, a chave da harmonia nas palavras e nos atos, a chave que contrabalança a causa e o efeito, não deixando mais espaço à ação cármica.
3. Kshanti, a paciência suave, que nada pode alterar.
4. Vairagya, a indiferença ao prazer e à dor, a ilusão vencida, só a verdade vista.
5. Virya, a energia indômita que abre o seu caminho para a verdade suprema, erguendo-se acima das mentiras terrenas.
6. Dhyana, cuja porta de ouro, uma vez aberta, leva o Naljor[98] para o reino de Sat, o eterno, e para a sua contemplação sem fim.

---

97 "Chegar à margem" é para os budistas do norte sinônimo de atingir o nirvana pelo exercício das seis e dez Paramitas.

98 Um homem sem pecado, um santo.

7 Prajna, cuja chave faz de um homem um Deus, criando-o um Bodhisattva, filho dos Dhyanis.

Tais são as chaves de ouro para esses portais.

Antes que te possas acercar do último, ó tecedor de tua liberdade, tens de possuir estas Paramitas da perfeição – as virtudes transcendentais, seis e dez em número – por esse longo caminho.

Porque, ó discípulo, antes que estivesses apto a encontrar o teu Mestre frente a frente, o teu Senhor luz a luz, que foi que te disseram?

Antes que te possas acercar da porta mais próxima tens de aprender a separar o teu corpo do teu espírito, e a viver no eterno. Para isto, tens de viver e respirar em tudo, como tudo que tu vês respira em ti; sentir-te existir em todas as coisas, e todas as coisas em ti.

Não deixarás os teus sentidos fazer do teu espírito campo para o seu recreio.

Não separarás o teu ser do Ser, e do resto, mas fundirás o oceano na gota de água, e a gota de água no oceano.

Assim estarás em acordo com tudo quanto vive; ama os homens como se eles fossem os teus condiscípulos, discípulos do mesmo Mestre, filhos da mesma boa mãe.

Professores há muitos; a Alma-Mestra[99] é uma, Alaya, a Alma universal. Vive nesse Mestre como o seu raio em ti. Vive nos teus semelhantes como eles nela.

Antes que estejas no limiar do Caminho; antes que entres pela primeira porta, tens de fundir os dois em um e sacrificar o pessoal à Personalidade impessoal, e assim destruir o caminho entre as duas – Antahkarana.[100]

Tens de estar pronto a responder a Dharma, a lei austera, cuja voz te perguntará ao teu primeiro passo, ao teu passo inicial:

"Obedeceste a todas as regras, ó de altas esperanças?"

"Puseste o teu coração e a tua mente de acordo com a grande mente e o grande coração de toda a humanidade? Porque, como a voz sonora do grande rio, na qual todos os sons têm o seu eco,[101]

---

99 A Alma-Mestra é Alaya, a alma universal ou Atma, de que cada homem tem um raio em si, e com que se supõe que é capaz de se identificar e se fundir.

100 Antahkarana é o Manas inferior, o caminho de comunicação ou comunhão entre a personalidade e o Manas superior ou Alma humana. Na morte destrói-se como caminho ou meio de comunicação, e os seus restos sobrevivem sob uma forma como o Kamarupa – a casca.

101 Os budistas do norte, e, de resto, todos os chineses, sentem no rugido fundo de alguns dos rios grandes e sagrados a nota mestra da natureza. Daí o símile. É um fato bem conhecido, tanto na ciência física como no ocultismo, que o som agregado da natureza – como no rugido dos grandes rios, ou no ruído produzido pela oscilação dos cimos das árvores numa grande floresta ou no som de uma cidade ouvido a

assim deve o coração daquele que queira entrar para o rio vibrar em resposta a cada suspiro e a cada pensamento de tudo quanto vive e respira."

Os discípulos podem ser comparados às cordas da vina que ecoa as almas; a humanidade à sua caixa de ressonância; a mão que a vibra à respiração melodiosa da grande Alma do Mundo. A corda que não vibra ao toque do Mestre em harmonia suave com todas as outras; quebra-se e é deitada fora. Assim as mentes coletivas dos Lanu-Shravakas têm de ser afinadas para vibrar de acordo com o espírito do Acharya – uno com a Sobre-Alma – ou que se quebrar.

Assim fazem os irmãos da sombra – os assassinos das suas Almas, a horrível seita dos Dad-Dugpa.[102]

Puseste o teu ser de acordo com a grande dor da humanidade, ó candidato à luz?

---

distância – é um tom único e definido de um alcance perfeitamente apreciável. Mostram-no físicos e músicos. Assim o Professor Rice (*A Música Chinesa*) diz que os chineses reconheceram o fato há milhares de anos, dizendo que as águas do Hoang-ho, ao correr, davam o *Kung*, chamado o "grande tom" na música da China; e mostra que este tom corresponde ao *lá*, "considerado pelos físicos modernos o tom essencial da natureza". O Professor B. Silliman cita-o, também, no seu *Princípios de Física*, dizendo que "este tom é dado como sendo o *lá* médio do piano, que pode portanto ser considerado a nota mestra da natureza".

102 Os Bhöns e Dugpas, e as várias seitas dos "barretes-vermelhos". São considerados como os mais hábeis feiticeiros. Vivem no Tibete Ocidental, no Tibete Menor e no Butão. São todos Tantrikas. É absolutamente ridículo encontrar orientalistas que visitaram as fronteiras do Tibete, como Schlagintweit e outros, a confundir os ritos e nojentas práticas desta gente com as crenças religiosas dos Lamas orientais, os "barretes-amarelos" e os seus Naljors orientais ou homens santos.

Fizeste assim?... Podes entrar. Antes, porém, que dês um passo no duro caminho da tristeza, é bom que aprendas quais são os perigos da estrada.

*

Armado com a chave da caridade, do amor e da terna misericórdia, podes estar tranquilo ante a porta de Dana, a porta que fica à entrada do Caminho.

Vê, ó ditoso peregrino! O portal que tens adiante é alto e largo, parece fácil lá chegar. A estrada que o atravessa é direita, suave e relvada. É como uma clareira cheia de sol no meio da floresta escura e funda, um lugar na terra refletindo o paraíso de Amitabha. Ali rouxinóis de esperança e aves de penas radiosas cantam em vergéis verdes, trilando triunfo aos peregrinos sem receio. Cantam as cinco virtudes do Bidhisattva, a fonte quíntupla do poder do Bodhi, e dos sete degraus no conhecimento.

Passa, segue para adiante! Trouxeste a chave: estás salvo.

Para a segunda porta a entrada é verde também, mas é íngreme e serpenteia montanha acima – sim, até o cimo rochoso da montanha. Névoas cinzentas cobrirão o seu píncaro rude e pedregoso, e para além será tudo escuridão. À medida que avança, o cântico da esperança soa cada vez mais débil no coração do peregrino. O arrepio da dúvida atinge-o; os seus passos tornam-se mais incertos.

Acautela-te com isto, ó candidato; acautela-te contra o medo que, como as asas negras e silenciosas do morcego noturno, se alastra entre o luar da tua Alma e a tua grande meta que surge na distância, muito longe ainda.

O medo, ó discípulo, mata a vontade e demora a ação. Se é falho da virtude Shila, o peregrino tropeça, e pedras cármicas ferem-lhe os pés pelo caminho pedregoso.

Pisa com segurança, ó candidato. Banha a tua alma na essência de Kshanti; porque te acercas agora do portal que tem esse nome, a porta da fortaleza e da paciência.

Não feches os olhos, nem percas de vista Dorje;[103] as setas de Mara atingem sempre o homem que não chegou ao Vairagya.[104]

---

103 Dorje é o sânscrito Vajra, uma arma ou instrumento nas mãos de alguns Deuses (os Dragshed tibetanos, os Devas que protegem os homens) e é considerado como tendo o mesmo poder oculto de repelir más influências, purificando o ar, que o ozônio tem na química. É também um Mudra, um gesto e posição usados ao se sentar para a meditação. É, em resumo, um símbolo de poder sobre más influências invisíveis, quer como posição, quer como talismã. Os Bhöns e Dugpas, porém, tendo apropriado o símbolo, aproveitaram-se dele sinistramente para os fins da magia negra. Para os barretes-amarelos, ou Gelugpas, é um símbolo de poder, como a cruz para os cristãos, e é tampouco superstição como esta. Para os Bhöns é, como o duplo triângulo invertido, o sinal da bruxaria.

104 Vairagya é o sentimento de absoluta indiferença para com o universo objetivo, ao prazer e à dor. "Nojo" (como o nojo da

Não tremas. Sob o hálito do medo enferruja a chave de Kshanti: a chave ferrugenta já não pode abrir.

Quanto mais avançares, mais e mais serão os perigos que cercarão os teus passos. O caminho que segue para adiante é iluminado por uma chama - a luz da audácia ardendo no coração. Quanto mais ousares, mais conseguirás. Quanto mais temeres, mais a luz esmorecerá - e só ela te pode guiar. Porque como o último raio do sol no píncaro de alto monte é seguido pela noite escura quando cessa, assim é a luz do coração. Quando se apaga, uma sombra negra e ameaçadora cairá do teu coração sobre o Caminho, e prenderá os teus pés pávidos ao chão.

Acautela-te, discípulo, com essa sombra letal. Nenhuma luz que brilhe do Espírito pode dispersar a escuridão da Alma inferior a não ser que todo o pensamento egoísta de lá tenha fugido, e que o peregrino diga: "Abdiquei deste corpo que passa; destruí a causa; as sombras, meros efeitos, não podem já subsistir". Porque teve lugar agora a última grande batalha, a guerra final entre o ser superior e o inferior.

Vê, o próprio campo da batalha se engolfou na grande guerra, e deixou de existir.

Mas, uma vez passada a porta de Kshanti, está dado o terceiro passo. O teu corpo é teu escravo.

---

saciedade) não dá bem a ideia, mas é o mais próximo que há. ("Despaixão" seria, talvez, o termo mais apropriado).

Prepara-te agora para a quarta porta, a porta das tentações que enleiam o homem interior.

Antes que possas acercar-te dessa meta, antes que a tua mão se erga para levantar o fecho da quarta porta, deves ter dominado todas as alterações mentais em ti, e matado o exército das sensações-pensamentos que, sutis e insidiosas, se introduzem, sem que tu queiras, no sacrário luzente da Alma.

Se não queres que elas te matem, deves tornar inofensivas as tuas criações, os filhos dos teus pensamentos, invisíveis, impalpáveis, que enxameiam em torno à humanidade, prole e herdeiros do homem e das suas presas terrestres. Tens de estudar o vácuo do aparentemente cheio, o cheio do aparentemente vazio. Ó aspirante intemerato, olha bem para dentro do poço do teu coração, e responde. Conheces bem os poderes da Personalidade, ó observador das sombras externas?

Se os não conheces, estás perdido.

Porque, no quarto caminho, a mais leve brisa da paixão ou do desejo fará tremer a luz firme nos muros brancos e puros da Alma. A mais pequena onda de ânsia ou de saudade por dons ilusórios de Maya, ao passares por Antahkarana – o caminho que há entre o teu Espírito e a tua Personalidade, a estrada real das sensações, as despertadoras de Ahamkara[105] – um pensamento rápido como a luz

105 Ahamkara – sentimento da sua própria

do relâmpago far-te-á perder os teus três prêmios – os três prêmios que ganhaste. Aprende que no Eterno não há mudança.

"As oito cruéis angústias, abandona para sempre; se não, por certo que não chegaste à sabedoria, nem ainda à libertação", diz o grande Senhor, o Tathagata da perfeição, "aquele que seguiu as passadas dos seus predecessores".[106]

Austera e exigente é a virtude de Vairagya. Se queres possuir o seu caminho, tens de ter a tua mente, as tuas percepções mais do que nunca livres da ação mortal.

Tens de te saturar do puro Alaya, de te identificar com o pensamento da Alma da natureza. Unificado com ele és invencível; separado dele, tornas-te o campo de recreio de Samvritti,[107] origem de todas as ilusões do mundo.

---

personalidade, a noção do "eu sou".

106 "Um que segue as passadas dos seus predecessores" é o verdadeiro sentido do nome Tathagata.

107 Samvritti é aquela das duas verdades que demonstra o caráter ilusório ou o vácuo de todas as coisas. Neste caso significa a verdade relativa. A escola Mahayana ensina a diferença entre estas duas verdades – Paramarthasatya e Samvrittisatya (Satya-verdade). É este o pomo de discórdia entre os Madhyamikas e os Yogacharyas, os primeiros dos quais negam, e os segundos afirmam, que todo o objeto existe devido a uma causa anterior ou por uma concatenação. Os Madhyamikas são os grandes niilistas e negadores, para quem tudo é Parikalpita, uma ilusão e um erro no mundo do pensamento e subjetivo, tanto como no universo objetivo. Os Yogacharyas são os grandes espiritualistas. Samvritti, portanto, por ser apenas a verdade relativa, é a origem de toda a ilusão.

Tudo é transitório no homem, salvo a pura e clara essência do Alaya. O homem é o seu raio cristalino; por dentro um raio de luz imaculada, uma forma de barro material na superfície inferior. Esse raio é o teu guia de vida e a tua Personalidade verdadeira, a sentinela e o pensador silencioso, a vítima do teu ser inferior. A tua Alma não pode ser ferida senão através do teu corpo pecador; domina e rege os dois, e estarás salvo quando atravesses para a "porta do equilíbrio" que se aproxima.

Anima-te, audaz peregrino para a outra margem. Não dês ouvidos ao segredar das hostes de Mara; afasta os tentadores, esses espíritos de má índole, os Lhamayin[108] no espaço infinito.

Mantém-te firme! Acercas-te agora do portal médio, da porta da dor, com as suas dez mil armadilhas.

Domina os teus pensamentos, ó ansioso pela perfeição, se queres atravessar o limiar dela.

Domina a tua Alma, ó ansioso pelas verdades eternas, se queres chegar à meta.

Concentra o olhar da tua Alma na luz única e pura, na luz que nada afeta, e serve-te da tua chave de ouro.

108 Os Lhamayin são elementais e maus espíritos adversos aos homens, e seus inimigos.

O árduo trabalho está feito, a tua tarefa é quase finda. O grande abismo, que se abria para te tragar, está quase passado.

*

Atravessaste a vala que circunda a porta das paixões humanas. Venceste já a Mara e à sua horda furiosa.

Tiraste a impureza do teu coração e sangraste-o de desejos impuros. Mas, ó combatente glorioso, a tua tarefa ainda não é finda. Constrói alto, Lanu, o muro que há de defender a tua ilha sagrada,[109] o dique que protegerá o teu espírito do orgulho e do contentamento ao pensares no teu grande feito.

Um sentimento de orgulho macularia a tua obra. Sim: ergue forte o muro, não vá o impulso feroz das ondas em guerra, que sobem e batem na sua costa, vindas do grande Mundo oceano de Maya, engolfar o peregrino e a ilha – sim, no próprio momento da vitória.

A tua "ilha" é a corça, os teus pensamentos os galgos que cansam e perseguem o seu avanço até o rio da vida. Ai da corça que é atingida pelos galgos malignos antes que chegue ao vale do refúgio – Jnan-marga,[110] "o caminho do puro conhecimento".

---

109 O Eu superior, ou personalidade pensante.

110 Jnan-marga é, literalmente, o caminho de Jnana, ou o caminho do conhecimento puro, de Paramartha ou (em sânscrito) Svasamvedana, a reflexão evidente por si, ou autoanalítica.

Antes que te possas estabelecer em Jnan-marga e chamar-lhe teu, a tua Alma tem de se tornar como o fruto maduro da mangueira: mole e doce como a sua polpa dourada para as angústias dos outros, duro como o caroço desse fruto para as tuas próprias dores e angústias, ó triunfador da alegria e da tristeza.

Torna a tua Alma dura contra as armadilhas da tua personalidade; faze com que ela mereça o nome de Alma de Diamante.

Porque como o diamante enterrado fundo no coração vivo da terra não pode refletir as luzes terrenas, assim são a tua mente e a tua Alma; imersos no Jnana-marga, nada devem refletir do meio ilusório de Maya.

Quando chegares a esse estado, os portais que tens de vencer no teu caminho abrem de par em par as suas portas, para que passes, e os poderes maiores da natureza não têm força para te embargar o passo. Serás dono do sétuplo caminho: mas só então o serás, ó candidato a provas indizíveis.

Até ali, espera-te uma tarefa muito mais difícil: tens de te sentir todo pensamento, e contudo exilar da tua Alma todos os pensamentos.

Tens de chegar àquela fixidez de espírito em que nenhuma brisa, por mais que cresça, pode soprar um pensamento material para dentro dele. Assim purificado, o sacrário deve ficar vazio de toda a ação, som ou luz da terra; assim como a borboleta, atingida pela geada, cai morta no limiar – assim todos os pensamentos materiais devem cair mortos diante do templo.

Vê que está escrito:

"Antes que a chama dourada possa arder com um brilho firme, deve a lâmpada estar guardada num lugar livre de toda a aragem". Exposta à brisa volúvel, a chama tremerá, e, tremendo, lançará sombras enganosas, negras, e sempre variantes, sobre o sacrário branco da Alma.

E então, ó perseguidor da verdade, a alma da tua mente tornar-se-á como um elefante louco, que se enfurece na floresta. Tomando as árvores por inimigos vivos, morre ao tentar matar as sombras sempre incertas bailando no muro dos rochedos inundados de sol.

Acautela-te, não vá a tua Alma, ao cuidar da tua Personalidade, perder pé no terreno do conhecimento Deva.

Acautela-te, não vá tua Alma, ao esquecer a Personalidade, perder o seu domínio sobre o seu espírito trêmulo, perdendo assim o justo prêmio das suas conquistas.

Acautela-te contra a mudança, porque a mudança é teu grande inimigo. A mudança lutará contigo, afastar-te-á, atirar-te-á para fora do caminho que trilhas, para dentro de pântanos viscosos de dúvida.

Prepara-te e acautela-te a tempo. Se experimentaste e falhaste, ó lutador indômito, não percas, porém, coragem: continua a lutar, e volta ao embate repetidamente.

O guerreiro destemido, ainda que o sangue da sua vida lhe escorra das feridas abertas, continuará a atacar o inimigo, expulsá-lo-á do seu forte, vencê-lo-á mesmo, antes que ele próprio expire. Agi, pois, todos vós que falhais e que sofreis, como esse soldado; e do forte da vossa Alma expulsai todos os vossos inimigos - a ambição, a cólera, o ódio, até a sombra do desejo - mesmo quando tiverdes falhado...

Lembra-te, tu que lutas pela libertação humana,[111] que cada falência é um triunfo, e cada tentativa sincera a seu tempo recebe o seu prêmio. Os santos germes que brotam e crescem invisíveis na Alma do discípulo, dobram como juncos mas não

---

111 É esta uma alusão a uma crença bem conhecida no Oriente (como, de resto, também no Ocidente) de que cada Buda ou santo a mais é um novo soldado no exército daqueles que trabalham pela libertação ou salvação da humanidade. Nas regiões do budismo do norte, onde é ensinada a doutrina dos Nirmanakayas - aqueles Bodhisattvas que renunciam justamente à merecida veste do Nirvana ou do Dharmakaya (qualquer dos quais os isolam para sempre do mundo dos homens) para invisivelmente auxiliar a humanidade e conduzi-la finalmente ao Paranirvana - cada novo Bodhisattva, ou grande Adepto iniciado, é denominado o libertador da humanidade. A afirmação, feita por Schlagintweit no seu livro *O Budismo no Tibete*, de que Prulpai ku ou Nirmanakaya é "o corpo em que os Budas ou Bodhisattvas aparecem na terra para ensinar os homens" é absurdamente errônea e nada explica.

quebram, nem podem eles perder-se. Mas quando a hora soou, desabrocham.[112]

*

Mas se vieste preparado, então não temas nada.

*

Daqui em diante é claro o teu caminho; que vai direito à porta de Virya, o quinto dos sete portais. Estás agora no caminho que conduz ao porto do Dhyana, o sexto portal, o portal Bodhi.

A porta do Dhyana é como um vaso de alabastro, branco e transparente; dentro dele arde uma luz firme e dourada, a chama de Prajna, que Atma irradia.

Esse vaso és tu.

Afastaste-te dos objetos dos sentidos, seguiste pelo caminho da visão, pelo caminho da audição, e estás agora na luz do conhecimento. Chegaste agora ao estado de Titiksha.[113]

---

112 Uma referência às paixões e aos pecados humanos que são chacinados durante as provações do noviciado, e servem de terreno bem adubado onde podem germinar os germens ou sementes das virtudes transcendentais. As virtudes, talentos ou dons preexistentes têm-se por adquiridos numa nascença anterior. O gênio é sem exceção um talento ou aptidão trazido de uma vida anterior.

113 Titiksha é o quinto estado do Raja Yoga – um estado de suprema indiferença: a submissão, se for preciso, ao que se chama "o

Ó Naljor, estás salvo.

*

Aprende, vencedor dos pecados, que uma vez que um Sowani[114] tenha atravessado o sétimo caminho, toda a natureza estremece de religiosa alegria e se sente submissa. A estrela prateada eis que cintila esta nova às flores da noite, o riacho murmura esse conto às pedras; as ondas escuras do oceano o cantam aos rochedos cheios de espuma, as brisas perfumadas cantam-no aos vales, e os pinheiros altivos segredam misteriosamente: "Surgiu um Mestre, um Mestre do Dia."[115]

Ele ergue-se agora como uma coluna branca ao ocidente, sobre cuja fronte o sol nascente do pensamento eterno derrama as suas primeiras ondas gloriosas. O seu espírito, como um oceano ilimitado em calmaria, alastra-se no espaço sem praias. Ele tem a vida e a morte na sua mão poderosa.

Sim, ele é poderoso. O poder vivo tornado livre nele, esse poder que é Ele próprio, pode erguer o

---

prazer e a dor para todos", mas não tirando nem prazer nem dor de tal submissão – em suma, o tornar-se física, mental e moralmente indiferente e insensível quer ao prazer, quer à dor.

114 Sowani é aquele que pratica o Sowan, o primeiro caminho em Dhyana, um Srotapatti.

115 Dia aqui significa todo um Manvantara, um período de incalculável duração.

tabernáculo da ilusão muito acima dos Deuses, acima dos grandes Brahm e Indra.

É agora, por certo, que ele conseguirá o seu grande prêmio!

Não usará ele os dois, que isso confere, para seu descanso e felicidade, para seu proveito e glória tão bem ganhos – ele, o subjugador da grande ilusão?

Não, ó candidato à ciência secreta da natureza! Se quiseres seguir os passos do santo Tathagata, esses dons e poderes não são para ti próprio.

Irás assim pôr um dique às águas nascidas em Someru?[116] Irás desviar o rio para teu serviço, ou fazê-lo subir até à sua nascente, pelos cerros dos ciclos?

Se quiseres que esse rio de conhecimento bem ganho, de sabedoria de divina origem, fique uma corrente pura, não deves deixar que ele se torne um lago estagnado.

Aprende: se quiseres tornar-te cooperador de Amitabha, a Idade Ilimitada, então deves derramar a luz adquirida, como os dois Bodhisattvas,[117] sobre a extensão de todos os três mundos.[118]

---

116 Meru, a montanha sagrada dos Deuses.

117 Na simbologia do budismo setentrional diz-se que Amitabha ou o espaço ilimitado (Parabrahman) tem no seu paraíso dois Bodhisattvas – Kuan-shi-yin e Tashishi – que não cessam de irradiar luz sobre os três mundos onde viveram, incluindo o nosso, para, com esta luz (do conhecimento) auxiliar a instrução dos iogues, os quais, por sua vez, salvarão os homens. A sua alta posição no reino de Amitabha é – diz a alegoria – devida a atos de misericórdia por ambos praticados, como tais iogues, quando na terra.

118 Estes três mundos são os três planos do

Aprende que a corrente de conhecimento sobre-humano e a sabedoria Deva, que adquiriste, deve, de ti, o canal de Alaya, ser derramada para outro leito.

Apende, ó Naljor, tu do caminho secreto, as suas águas puras devem ser empregadas para tornar mais doces as ondas amargas do oceano – esse grande mar de sofrimento formado pelas lágrimas dos homens.

Ai de ti! Uma vez que te tornaste como a estrela fixa no alto céu, esse claro orbe celeste deve, das profundezas do espaço, para todos brilhar, menos para si; dar luz a todos, e a nenhum tirá-la.

Ai de ti! Uma vez tornado como a neve pura nos vales das montanhas, fria e insensível ao tato, quente e protetora para a semente que dorme fundo sob o seu seio – agora é essa neve que deve receber a geada mordente, os vendavais do norte, protegendo assim do seu dente fino e cruel a terra que contém a colheita prometida, a colheita que dará pão aos que têm fome.

Por ti próprio condenando a viver através de Kalpas futuros sem que os homens te vejam ou te agradeçam; apertado como uma pedra contra inúmeras outras que formam o Muro da guarda,[119]

---

ser – o terreno, o astral e o espiritual.

119 O muro da guarda, ou muro da proteção. É-nos ensinado que os esforços acumulados de longas gerações de iogues, Santos e Adeptos, especialmente dos Nirmanakayas, criaram, por assim dizer, um muro de proteção em torno da humanidade, que a guarda invisivelmente contra males ainda maiores.

tal é o teu futuro se passares a sétima porta. Construído pelas mãos de muitos Mestres da compaixão, erguido pelas suas torturas, cimentado pelo seu sangue, ele protege a humanidade, desde que o homem é homem, livrando-a de mais e de maior angústia e tristeza.

O homem, porém, não o vê, não o quer ver, nem quer dar ouvidos à palavra da sabedoria... porque não a conhece.

Mas tu ouviste-a, tu sabes tudo, ó de Alma ansiosa e imaculada... e tens que escolher. Escuta ainda.

No caminho de Sowan, ó Srotapatti, segues seguro. Sim, nesse Marga, onde apenas a escuridão vem ao encontro do peregrino cansado, onde, rasgadas por espinhos, as mãos gotejam sangue, os pés são rasgados por pedras agudas e duras, e Mara emprega as suas armas mais fortes - para além dele, imediatamente, há um grande prêmio.

Calmo e impassível, o peregrino vai até ao rio que conduz ao Nirvana. Ele sabe que quanto mais os seus pés sangrarem, mas lavado e limpo ele próprio ficará. Ele sabe bem que depois de sete breves e transitórias nascenças, o Nirvana lhe pertencerá...

Tal é o caminho de Dhyana, o porto do iogue, a meta sagrada que os Srotapattis buscam.

Não é assim quando atravessou e conquistou o caminho Arhata.

Ali Klesha[120] é destruído para sempre, e as raízes de Tanha[121] arrancadas, mas para, discípulo... escuta uma palavra ainda. Podes tu destruir a divina compaixão? A compaixão não é um atributo. É a lei das leis – a harmonia eterna, o próprio Ser de Alaya, uma essência universal sem praias, a luz da justiça eterna, o acordo de tudo, a lei do eterno amor.

Quanto mais com ela te unificares, fundindo o teu ser no seu ser, tanto mais a tua Alma se unirá àquilo que é, tanto mais te tornarás a compaixão absoluta.[122]

Tal é o caminho Arya, caminho dos Budas da perfeição.

Mas o que significam os livros sagrados que te fazem dizer:

"Aum! Creio que nem todos os Arhats obtêm o doce gozo do caminho nirvânico."

"Aum! Creio que no Nirvanadharma não entram todos os Budas."[123]

---

120 Klesha é o amor ao prazer ou à alegria terrena, quer seja boa ou má.

121 Tanha, a vontade de viver, aquilo que causa o renascer.

122 Esta compaixão não deve ser tida por análoga ao "Deus, o divino amor" dos Teístas. A compaixão significa aqui uma lei abstrata, impessoal, cuja natureza, sendo a harmonia absoluta, é tornada confusa pela discórdia, pelo sofrimento e pelo pecado.

123 Na fraseologia do budismo do norte todos os grandes Arhats, Adeptos e santos são denominados Budas. As citações atuais são feitas do *Thegpa Chenpoido*, o *Mahayana Sutra*, "invocações aos Budas da Confissão", Parte I. IV.

Sim; no caminho de Arya não és já um Srotapatti, és um Bodhisattva.[124] Atravessaste o rio. É certo que tens direito à veste do Dharmakaya; mas um Sambhogakaya é maior do que um Nirvani, e maior ainda é um Nirmanakaya - o Buda da Compaixão.[125]

Inclina agora a tua fronte e escuta bem, ó Bodhisattva - a compaixão fala e diz:

---

124 Um Bodhisattva é, na hierarquia, menos do que um Buda perfeito. Na linguagem exotérica os dois são muito confundidos. Mas a percepção popular, intuitiva e justa, colocou um Bodhisattva, devido ao seu grande sacrifício, mais alto no seu respeito do que um Buda.

125 Este mesmo respeito popular chama "Budas da Compaixão" àqueles Bodhisattvas que, tendo chegado ao grau de Arhat (isto é, tendo completado o quarto ou ao sétimo Caminho), recusam-se a passar para o estado nirvânico ou "vestir a veste do Dharmakaya e passar para a outra margem", visto que então já não poderiam auxiliar os homens mesmo o pouco que o Karma permite. Preferem continuar invisivelmente (no espírito, por assim dizer) no mundo, e contribuir para a salvação humana, influenciando os homens a seguir a boa Lei, isto é, levando-os para o caminho da virtude. É costume entre os exotéricos do budismo do norte venerar estes grandes caracteres como santos e mesmo rezar a eles, como fazem os gregos e os católicos aos seus santos e padroeiros; mas os ensinamentos esotéricos não permitem essas orações. Há uma grande diferença entre as duas doutrinas. O exotérico laico mal sabe o verdadeiro sentido da palavra Nirmanakaya - daí a confusão e as explicações insuficientes dos orientalistas. Por exemplo: Schlagintweit crê que Nirmanakaya significa uma forma física assumida pelos Budas quando encarnam na terra - "o menos sublime dos seus invólucros terrenos" (Ver *O Budismo no Tibete*) - e passa a dar uma opinião inteiramente falsa sobre o assunto. A verdadeira doutrina é, porém, esta:
Os três corpos ou formas búdicas são denominados:

I. Nirmanakaya.
II. Sambhogakaya.
III. Dharmakaya.

"Pode haver felicidade quando tudo quanto vive tem de sofrer? Quererás salvar-te ouvindo todo o mundo chorar?"

Agora ouviste o que se disse:

Chegarás ao sétimo degrau e atravessarás a porta do conhecimento final, mas só para tomares a dor por esposa - se queres ser Tathagata, seguir os passos do teu predecessor, conservar-te altruísta até o fim sem fim.

Sabes já tudo - escolhe o teu caminho.

---

O primeiro é aquela forma etérea que ele assumiria quando, abandonando o seu corpo físico, aparecesse no seu corpo astral - tendo a mais todos os conhecimentos de um Adepto. O Bodhisattva desenvolve-o em si à medida que avança no caminho. Tendo chegado à meta e recusado a sua fruição, permanece na terra, como um Adepto; e quando morre, em vez de entrar para o Nirvana, fica no corpo glorioso que para si teceu, invisível à humanidade não iniciada, para a velar e proteger. Sambhogakaya é o mesmo, mas com o brilho adicional de três perfeições, uma das quais é a obliteração de todas as preocupações terrenas.
O corpo Dharmakaya é o de um Buda completo, isto é, não é já um corpo, mas um sopro ideal; a consciência imersa na consciência universal, ou a alma despida de todos os atributos. Uma vez tornado um Dharmakaya, um Adepto ou Buda abandona toda a possível relação, ou pensamento sobre esta terra. Assim, para poder auxiliar a humanidade, um Adepto que adquiriu o direito ao Nirvana, "renuncia ao corpo Dharmakaya", falando misticamente; guarda, do Sambhogakaya, apenas os conhecimentos grandes e completos, e fica no seu Nirmanakaya. A escola esotérica ensina que Gautama Buda, com vários dos seus Arhats, é um Nirmanakaya destes, acima de quem, pela sua grande renúncia e sacrifício pela humanidade, ninguém se conhece.

*

Olha a luz suave que inunda o céu oriental. Céu e terra unem-se em gestos de adoração. E dos poderes quadruplamente manifestados sabe um cântico de amor, tanto do fogo que brilha como da água que corre, da terra perfumada e do vento que passa.

Escuta!... Do grande e insondável vórtice daquela luz dourada em que o Vencedor se banha, toda a voz sem-palavras da natureza se ergue para em mil tons proclamar:

*Saúdo-vos, ó homens de Myalba.*[126]
*Um peregrino regressou da outra margem.*
*Nasceu um novo Arhan.*[127]
*Paz a todos os seres.*[128]

---

126 Myalba é a nossa terra – a que a escola esotérica aptamente chama inferno, e o maior de todos os infernos. A doutrina esotérica não conhece inferno, ou lugar de castigo, a não ser um planeta habitado ou terra. Avichi é um estado e não um lugar.

127 Significa isto que nasceu um novo salvador da humanidade, que conduzirá os homens ao Nirvana final, isto é, depois do ciclo de vidas.

128 É esta uma das variantes da fórmula que invariavelmente fecha todo o tratado, invocação ou instrução. "Paz a todos os seres", "Bênçãos sobre tudo quanto vive", etc.

# Posfácio

No início do século XX, Annie Besant e Charles Leadbeater, dois estudiosos da teosofia, realizaram uma série de palestras sobre as principais obras da literatura teosófica. Em 1926, a Theosophical Publishing House reuniu em três volumes os registros dessas palestras, no livro *Talks on the path of occultism* [Conversas no caminho do ocultismo]. O texto a seguir, contido no segundo volume da referida obra, traz o comentário ao Prefácio de *A voz do silêncio*.

Mesmo do ponto de vista superficial e totalmente físico, *A voz do silêncio* é um dos livros mais notáveis de nossa literatura Teosófica, quer consideremos seu conteúdo, seu estilo ou a maneira de sua produção, e quando olhamos mais a fundo e pedimos em nosso auxílio o poder da investigação clarividente, nossa admiração não diminui de forma alguma. Não que devamos cometer o erro de considerá-la como uma escritura sagrada, mas cada palavra deve ser aceita sem questionamento. Veremos em breve que pequenos erros e mal-entendidos se insinuaram no texto, mas qualquer um que, por essa razão, o considere não confiável ou elaborado de maneira descuidada, estará cometendo um erro ainda menos desculpável na direção oposta.

Madame Blavatsky estava sempre disposta a admitir, e até mesmo a enfatizar, o fato de que imprecisões eram encontradas em todas as suas obras; e nos primeiros dias, quando nos deparamos com alguma afirmação sua especialmente improvável, não naturalmente a deixamos de lado com reverência, como talvez uma daquelas imprecisões. Foi surpreendente em estudos posteriores quantos desses casos nos mostraram que Madame Blavatsky estava, afinal de contas, correta, de modo que, atualmente, ensinados pela experiência, ficamos muito mais cautelosos neste assunto e aprendemos a confiar em seu conhecimento extraordinariamente amplo e minucioso sobre todos os tipos de assuntos distantes. Ainda assim, não há razão para suspeitar de um significado oculto em um erro óbvio, como alguns alunos muito crédulos fizeram, e não precisamos hesitar em admitir que o profundo conhecimento de nossa grande Fundadora em assuntos ocultos não a impediu de, às vezes, soletrar incorretamente uma palavra tibetana, ou mesmo usar mal uma em inglês.

Ela nos dá em seu Prefácio algumas informações sobre a origem do livro – informações que a princípio pareciam envolver sérias dificuldades, mas à luz das investigações recentes tornaram-se muito mais compreensíveis. Muito do que ela escreveu foi comumente entendido em um sentido mais amplo que pretendido, e dessa forma suas afirmações parecem extravagantes, mas, quando os fatos são declarados, será visto que não há fundamento para tal acusação.

Ela diz: "As páginas seguintes são extraídas de *O livro dos preceitos áureos*, uma das obras dadas a ler aos estudiosos do misticismo no Oriente. O seu conhecimento é obrigatório naquela escola cujos ensinamentos são aceitos por muitos teosofistas. Por isso, como sei de cor muitos destes preceitos, o trabalho de traduzi-los foi para mim fácil tarefa". E mais adiante: "A obra, de onde são os trechos que traduzo, forma parte da mesma série daquela de onde são tiradas as estrofes do *Livro de Dzyan*, sobre que *A doutrina secreta se baseia*". Ela também diz: "*O livro dos preceitos áureos*... contém cerca de noventa pequenos tratados distintos".

Nos primeiros dias, lemos sobre isso mais do que ela quis dizer, e supomos que este trabalho foi colocado nas mãos de todos os estudantes místicos no Oriente, e que "a escola em que o conhecimento deles é obrigatório" significava a escola da própria Grande Irmandade Branca. Por isso, quando nos reunimos com ocultistas avançados que nunca tinham ouvido falar do *Livro dos preceitos áureos*, ficamos muito surpresos e um pouco inclinados a olhar para eles com desconfiança e duvidamos seriamente se eles poderiam ter vindo completamente ao longo das linhas certas, mas desde então aprendemos muitas coisas, e entre elas temos uma perspectiva um pouco melhor do que no início.

No devido tempo, também, adquirimos mais informações sobre as estrofes do *Livro de Dzyan*, e quanto mais aprendíamos sobre elas e sua posição única, mais claro se tornava para nós que nem *A voz do silêncio* nem qualquer outro livro poderia ter em qualquer sentido real a mesma origem que eles.

O original do *Livro de Dzyan* está nas mãos do augusto chefe da Hierarquia Oculta e não foi visto por ninguém. Ninguém sabe quantos anos tem, mas há rumores de que a primeira parte (consistindo nas seis primeiras estrofes), tem uma origem totalmente anterior a este mundo, e mesmo que não seja uma história, mas uma série de direcionamentos – antes uma maneira de criação do que um relato dela. Uma cópia dele é mantida no Museu da Irmandade, e é aquela cópia (provavelmente o livro mais antigo produzido neste planeta) que Madame Blavatsky e vários de seus alunos viram – a qual ela descreve tão claramente em *A doutrina secreta*. O livro tem, no entanto, várias peculiaridades que ela não menciona. Parece ser altamente magnetizado, pois assim que um homem pega uma página em suas mãos, ele vê passando diante de seus olhos uma visão dos eventos que ela pretende retratar, enquanto ao mesmo tempo parece ouvir uma espécie de descrição rítmica em sua própria linguagem, na medida em que essa linguagem transmite as ideias envolvidas. Suas páginas não contêm nenhuma palavra – nada além de símbolos.

Quando chegamos a conhecê-lo plenamente, foi um pouco surpreendente encontrar um outro livro alegando a mesma origem das estrofes sagradas, e nosso primeiro impulso foi supor que algum estranho erro deve ter surgido. De fato, foi essa extraordinária discrepância que primeiro nos levou a investigar a questão da verdadeira autoria do *Livro dos preceitos áureos*; e quando isso foi feito, a explicação provou ser extremamente simples.

Lemos nas várias biografias de Madame Blavatsky que uma vez ela passou um período de cerca de três anos no Tibete, e também que em outra ocasião ela fez uma tentativa malsucedida de penetrar naquela terra proibida. Em uma ou outra dessas visitas, ela parece ter ficado por um tempo considerável em um certo mosteiro no Himalaia, cujo chefe na época era aluno do mestre Morya. O lugar me parece ser mais no Nepal do que no Tibete, mas é difícil ter certeza disso. Lá ela estudou com grande assiduidade e também obteve considerável desenvolvimento psíquico; e é nesse período de sua história que ela memoriza os vários tratados de que faz menção no Prefácio. O aprendizado deles é obrigatório para os alunos daquele mosteiro em particular, e o livro do qual foram tirados é considerado lá como de grande valor e santidade.

Este mosteiro é muito antigo. Foi fundado nos primeiros séculos da era cristã pelo grande pregador e reformador do budismo, comumente conhecido como Aryasanga. Afirma-se que o edifício já existia dois ou três séculos antes de seu tempo; mas, seja como for, sua história, no que nos diz respeito, começa com a ocupação temporária de Aryasanga. Ele era um homem de grande poder e erudição, já muito avançado no Caminho da Santidade. Em nascimento anterior como Dharmajyoti, ele foi um dos seguidores imediatos do Senhor Buda, e depois disso, sob o nome de Kleinias, um dos principais discípulos de nosso Mestre Kuthumi em seu nascimento como Pitágoras. Após a morte de Pitágoras, Kleinias fundou uma escola para o estudo de sua filosofia em Atenas –

uma oportunidade da qual vários de nossos atuais membros teosóficos aproveitaram. Séculos mais tarde, ele nasceu em Peshawar, que então se chamava Purushapura, com o nome de Vasubandhu Kanushika. Quando ele foi admitido na ordem dos Monges, ele tomou o nome de Asanga – "o homem sem obstáculos" – e, mais tarde em sua vida, seus seguidores o alongaram para Aryasanga, pelo qual ele é conhecido principalmente como autor e pregador. Diz-se que ele viveu até uma idade muito avançada – quase 150 anos, se a tradição fala a verdade – e que morreu em Rajagriha.

Ele foi um escritor profícuo, sua principal obra de que ouvimos é o *Yogacharya Bhumishastra*. Ele foi o fundador da escola Yogacharya de budismo, que parece ter começado com uma tentativa de fundir o budismo com o grande sistema de filosofia da ioga, ou talvez antes adotar deste último o que poderia ser usado e interpretado de maneira budista. Ele viajou muito e foi uma força poderosa na reforma do budismo; na verdade, sua fama atingiu um nível tão alto que seu nome se juntou aos de Nagarjuna e Aryadeva, e esses homens foram chamados os três sóis do budismo, por causa de sua atividade em derramar sua luz e glória sobre o mundo. A data de Aryasanga é dada vagamente como mil anos após o Senhor Buda. Os estudiosos europeus parecem incertos sobre quando ele viveu, mas nenhum atribui a ele uma data posterior ao século VII depois de Cristo. Para nós da Sociedade Teosófica, ele é conhecido nesta vida como um professor especialmente gentil, paciente e prestativo, o Mestre Djwal Kul – aquele que tem para nós uma posição única, quando alguns de nós tivemos a honra de conhecê-lo por volta de quarenta anos atrás, ele ainda não havia dado o passo que é o objetivo da evolução humana – a Iniciação Aseka. De modo que, entre nossos Mestres, ele é o único que conhecíamos nesta encarnação antes de se tornar um Adepto, quando ainda era o aluno-chefe do mestre Kuthumi. O fato de que, como Aryasanga, ele levou o budismo para o Tibete, pode ser a razão pela qual, nesta vida, ele escolheu assumir um corpo tibetano; pode ter havido associações ou ligações cármicas das quais ele desejava dispor antes de tomar a Iniciação final como Adepto.

No decorrer de uma de suas grandes viagens missionárias como Aryasanga, ele veio a esse mosteiro do Himalaia e lá passou a morar. Permaneceu lá por quase um ano, ensinando os monges, organizando a religião em grande parte do país, e fazendo desse mosteiro uma espécie de sede para a fé reformada, deixando no local uma impressão e uma tradição que duram até o tempo presente. Entre outras relíquias suas está preservado um livro, que é considerado com a maior reverência; e essa é a escritura a que Madame Blavatsky se refere como *O livro dos preceitos áureos*. Aryasanga parece o ter começado como uma espécie de livro de notas, ou um livro de extratos, no qual ele escreveu tudo que pensou ser útil para seus alunos, começando com as estrofes do *Livro de Dzyan* – não em símbolo, como no original, mas em palavras escritas. Ele reuniu muitos outros extratos – alguns das obras de Nagarjuna, como menciona Madame Blavatsky. Depois de sua partida, seus alunos acrescentaram ao livro uma série de relatos (ou talvez resumos) de suas palestras ou sermões, e esses são os "pequenos tratados" aos quais Madame Blavatsky se refere.

Foi Alcyone, em sua última vida, que preparou e acrescentou a *O livro dos preceitos áureos* os relatos dos discursos de Aryasanga, três dos quais constituem nosso presente objeto de estudo. Portanto, devemos este pequeno volume de valor inestimável ao seu cuidado em relatar, assim como nesta vida devemos a ele nossa posse do maravilhoso livro companheiro *Aos pés do mestre*. A vida de Alcyone começou em 624 d.C. e foi passada no norte da Índia. Alcyone entrou na ordem dos monges budistas em uma idade precoce e tornou-se profundamente ligado a Aryasanga, que o levou consigo para o mosteiro no Nepal, e o deixou lá para ajudar e dirigir os estudos da comunidade que ele reorganizou – um serviço que Alcyone prestou com notável sucesso por cerca de dois anos.* É neste sentido, e apenas neste sentido, que *A voz do silêncio* reivindica a mesma origem das estrofes do *Livro de Dzyan* – que os dois são copiados no mesmo livro. Não devemos esquecer também que, embora tenhamos, sem dúvida, muito do ensino de Aryasanga nesses tratados, ele não pode deixar de ser consideravelmente afetado pelas presunções daqueles que o relataram; e é provável que, pelo menos em algumas passagens, eles o tenham interpretado mal e falhado em transmitir seu verdadeiro significado. Ao examinarmos a obra em detalhes, encontraremos versos aqui e ali que expressam sentimentos que Aryasanga dificilmente poderia ter sustentado, e mostram ignorância que para ele teria sido impensável.

Note-se que Madame Blavatsky fala em traduzir os preceitos – uma observação que levanta algumas questões interessantes, uma vez que sabemos que ela não estava familiarizada com qualquer língua oriental, exceto o árabe. O livro está em uma escrita com a qual não estou familiarizado, nem sei que linguagem é usada. Por último, pode ser sânscrito, pali ou algum dialeto prácrito ou, possivelmente, nepalês ou tibetano, mas a escrita não é nenhuma das comumente empregadas para

* Ver *As vidas de Alcyone*, de Annie Besant e Charles Leadbeater, 1924.

escrever essas línguas. De qualquer forma, é razoavelmente certo que no plano físico nem a escrita nem a linguagem poderiam ser conhecidas por Madame Blavatsky.

Para quem tem consciência do corpo mental, existem métodos para chegar ao significado de um livro, independentemente do processo normal de lê-lo. O mais simples é ler na mente de quem o estudou; mas isso está aberto à objeção de que não se obtém o real significado do trabalho, mas a concepção do aluno sobre o significado, que pode não ser de forma alguma a mesma coisa. Um segundo plano é examinar a aura do livro – uma frase que precisa de uma pequena explicação para aqueles que não estão familiarizados com o lado oculto das coisas. Um manuscrito antigo está, a esse respeito, em uma posição um tanto diferente de um livro moderno. Se não é a obra original do próprio autor, pelo menos foi copiada palavra por palavra por alguma pessoa de certa educação e compreensão, que conhecia o assunto do livro e tinha suas próprias opiniões a respeito. Deve ser lembrado que copiar, feito geralmente com um buril, é quase tão lento e enfático quanto gravar; de modo que o escritor inevitavelmente imprime fortemente seu pensamento no trabalho.

Qualquer manuscrito, portanto, mesmo um novo, tem sempre algum tipo de aura de pensamento sobre ele, que transmite seu significado geral, ou melhor, a ideia de um homem sobre seu significado e sua estimativa de valor. Cada vez que o livro é lido por alguém, um acréscimo é feito a essa aura de pensamento e, se for cuidadosamente estudado, o acréscimo é naturalmente grande e valioso. Um livro que passou por muitas mãos tem uma aura que geralmente é mais bem equilibrada, arredondada e completada pelos pontos de vista divergentes trazidos a ele por seus muitos leitores; consequentemente, a psicométrica de tal livro geralmente produz uma compreensão bastante completa de seu conteúdo, embora com uma margem considerável de opiniões não expressas no livro, mas sustentadas por seus vários leitores.

O mesmo acontece com um livro impresso, exceto que não há copista original, de modo que, no início de sua carreira, ele geralmente não carrega nada além de fragmentos desconexos dos pensamentos do encadernador e do livreiro. Também poucos leitores nos dias de hoje parecem estudar tão pensativa e completamente como os homens de outrora, e por essa razão as formas-pensamento conectadas com um livro moderno raramente são tão precisas e definidas como aquelas que cercam os manuscritos do passado.

Um terceiro plano, exigindo poderes um pouco mais elevados, é ir além do livro ou manuscrito e chegar à mente do autor. Se o livro estiver em alguma língua estrangeira, se seu assunto for totalmente desconhecido, e não houver nenhuma aura ao seu redor para dar qualquer sugestão útil, a única maneira é seguir sua história, para ver de onde foi copiado (ou tipografado, conforme o caso) e, assim, traçar a linha de sua descendência até chegar ao seu autor. Se o assunto da obra for conhecido, um método menos tedioso é psicometrizar esse assunto, entrar na corrente geral de pensamento sobre ele e, assim, encontrar o escritor específico e ver o que ele pensa. Em certo sentido, todas as ideias ligadas a um determinado assunto podem ser consideradas locais - concentradas em torno de um determinado ponto no espaço, de modo que, ao visitar mentalmente esse ponto, alguém possa entrar em contato com todas as correntes convergentes de pensamento sobre esse assunto, embora, é claro, eles estejam ligados por milhões de linhas a todos os tipos de outros assuntos.

Supondo que seus poderes de clarividência fossem suficientes naquela época, Madame Blavatsky pode ter adotado qualquer um desses métodos para chegar ao significado dos tratados de O *livro dos preceitos áureos*, embora seja um pouco enganoso descrever qualquer uma delas como traduções sem qualificar a declaração. As únicas outras possibilidades são um tanto remotas. No momento, não há ninguém naquele mosteiro do Himalaia que fale alguma língua europeia, mas como provavelmente se passaram pelo menos quarenta anos desde que Madame Blavatsky esteve lá, deve ter havido muitas mudanças. É registrado que estudantes indianos ocasionalmente, embora seja raro, vêm beber daquela fonte arcaica de aprendizado, e se podemos supor que a visita de algum desses estudantes coincidiu com a dela, também pode ser que ele por acaso soubesse tanto inglês quanto a língua do manuscrito, ou pelo menos a língua de outros internos do mosteiro que podiam ler o manuscrito por si próprios e, portanto, traduzir para ela.

Estranhamente, também existe a possibilidade de ela ter sido ensinada em sua própria língua nativa. Na Rússia europeia, nas margens do Volga, há um assentamento bastante grande de tribos budistas, provavelmente tártaras em sua origem, e parece que essas pessoas, embora tão distantes do Tibete no plano físico, ainda a consideram sua terra sagrada e ocasionalmente fazem peregrinações a ela. Esses peregrinos às vezes permanecem durante anos como alunos em mosteiros tibetanos ou nepaleses, e como um deles pode muito bem conhecer o russo e seu próprio dialeto mongol, é óbvio que temos aqui outro método possível pelo qual Madame Blavatsky pode ter se comunicado com seus anfitriões.

Em qualquer caso, é óbvio que não devemos esperar uma reprodução verbal exata do que Aryasanga disse originalmente aos seus discípulos. Mesmo no livro arcaico em si, não temos suas palavras, mas a lembrança delas pelos seus alunos, e dessa lembrança temos agora diante de nós a tradução de uma tradução ou o registro de uma impressão mental geral do significado. Certamente, seria muito fácil para um de nossos mestres ou para o próprio autor fazer uma tradução direta e precisa para o inglês, mas, como Madame Blavatsky afirma claramente que o trabalho de tradução é seu, esse evidentemente não foi o plano adotado.

Ao mesmo tempo, o relato que temos de uma testemunha ocular da rapidez com que foi escrito, certamente parece sugerir a ideia de que alguma assistência lhe foi prestada, mesmo que, para ela, possa ter sido inconscientemente. A dra. Besant escreve sobre este assunto:

> *Ela escreveu em Fontainebleau, e a maior parte foi feita quando eu estava com ela e sentada na sala enquanto ela escrevia. Sei que ela não o escreveu referindo-se a nenhum livro, mas o escreveu continuamente, hora após hora, exatamente como se estivesse escrevendo de memória ou lendo onde não havia nenhum livro. Ela produziu à noite aquele manuscrito, que a*

*vi escrever enquanto estava sentada ao seu lado, e pediu a mim e a outros que o corrigíssemos no inglês, pois ela o havia escrito tão rápido que, certamente, seria ruim. Não alteramos mais do que algumas palavras, e permanece como um exemplo de obra literária maravilhosamente bela.*

Outra possibilidade é que ela tenha feito a tradução para o inglês de antemão enquanto estava no mosteiro, e que em Fontainebleau ela realmente tenha lido a distância, exatamente como nossa presidente diz que ela parecia estar. Muitas vezes, a vi fazer exatamente isso em outras ocasiões.

As seis escolas de filosofia hindu às quais ela se refere na primeira página do Prefácio são nyaya, vaisheshika, sankhya, ioga, mimansa e vedanta. Ela afirma que todo professor indiano tem seu próprio sistema de treinamento, que costuma manter em segredo. É natural que ele deva mantê-lo em segredo, pois não deseja a responsabilidade dos resultados que se seguiriam se fosse tentado (como, se fosse conhecido, certamente seria) por toda espécie de pessoas inadequadas e nocivas. Nenhum professor de verdade na Índia se encarregará de um aluno a menos que possa tê-lo sob seus olhos, de modo que, quando prescrever um determinado exercício, possa observar seu efeito e acompanhá-lo instantaneamente se perceber que algo está errado. Esse tem sido o costume imemorial nessas questões ocultas e, sem dúvida, é a única maneira pela qual o progresso real pode ser feito com rapidez e segurança. A primeira e mais difícil tarefa do aluno é reduzir à ordem o caos em si mesmo – eliminar a multidão de interesses menores e controlar os pensamentos errantes, e isso deve ser alcançado por uma pressão constante da vontade exercida sobre todos os seus meios por um longo período de anos.

Nossa autora nos diz que se os sistemas de instrução diferem nas escolas esotéricas desse lado do Himalaia, do outro lado são todos iguais. Devemos enfatizar aqui a palavra esotérico, pois sabemos que na religião exotérica as corrupções e más práticas mágicas são piores no lado norte das montanhas do que no sul. Podemos talvez até entender a expressão "além do Himalaia" em um sentido mais simbólico do que estritamente geográfico, e muitos supõem que é nas escolas, devendo fidelidade aos nossos mestres, que o ensino não difere. Isso é muito verdadeiro em certo sentido – o mais importante de todos os sentidos, mas é capaz de enganar o leitor se não for cuidadosamente explicado. O sentido em que todos são iguais é que todos reconhecem a vida virtuosa como o único caminho que leva ao desenvolvimento oculto, e a conquista do desejo como a única maneira de se livrar dele. Existem escolas de conhecimento oculto que sustentam que a vida virtuosa impõe limitações desnecessárias. Eles ensinam certas formas de desenvolvimento psíquico, mas não se importam com o uso que seus alunos possam depois fazer das informações que lhes são dadas. Outros sustentam que todos os tipos de desejos devem ser condescendidos ao máximo, a fim de que, por meio da saciedade, a indiferença seja alcançada. Mas nenhuma escola que sustenta qualquer uma dessas doutrinas está sob a direção da Grande Fraternidade Branca, em cada estabelecimento, mesmo que remotamente conectado a ele, pureza de vida e nobreza de objetivo são pré-requisitos indispensáveis.

Acontece que o próximo parágrafo do Prefácio contém duas das insignificantes imprecisões a que me referi. Nossa autora menciona "a grande obra mística chamada *Paramartha*, a qual, segundo nos diz a lenda de Nagarjuna, foi ditada ao grande Arhat pelos Nagas". O grande livro de Nagarjuna não se chamava *Paramartha*, mas *Prajna Paramita* – a sabedoria que traz para a outra margem, mas é bem verdade que o assunto tratado naquele livro é o paramartha satya, aquela consciência do sábio que vence a ilusão. Nagarjuna, como já mencionado, foi um dos três grandes mestres budistas dos primeiros séculos da era cristã, supostamente ele morreu em 180 d.C. Ele agora é conhecido pelos teosofistas sob o nome de mestre Kuthumi. Os escritores exotéricos, às vezes, descrevem Aryasanga como seu rival, mas, sabendo como sabemos sua relação íntima em um nascimento anterior na Grécia, e agora novamente na vida presente, vemos imediatamente que isso não pode ter sido assim. É bem possível que, após sua morte, seus alunos possam ter tentado estabelecer o ensino de um contra o do outro, como os alunos em seu zelo indiscriminado tantas vezes o fazem, mas que eles próprios estavam em perfeito acordo é mostrado pelo fato de que Aryasanga valorizava muito do trabalho de Nagarjuna e o copiou em seu livro trechos para uso de seus discípulos.

Não é, entretanto, certo que o *Prajna Paramita* foi obra de Nagarjuna, pois a lenda parece ser que o livro foi entregue a ele pelos Nagas, ou serpentes. Madame Blavatsky interpreta isso como um nome dado aos antigos iniciados, e pode muito bem ser assim, embora haja outra possibilidade muito interessante. Eu descobri que o nome de Nagas, ou serpentes, foi dado pelos arianos a uma das grandes tribos ou clãs da sub-raça tolteca dos atlantes, porque eles carregavam como estandarte, quando iam para a batalha, uma cobra dourada enrolada em um bastão. Pode muito bem ter sido algum totem ou símbolo tribal, ou talvez apenas o brasão de uma grande família. Essa tribo ou família deve ter desempenhado um papel proeminente na colonização atlante original da Índia e das terras que então existiam a sudeste dela. Encontramos os Nagas mencionados entre os habitantes originais do Ceilão, encontrados quando Vijaya e seus companheiros pousaram lá. Portanto, uma possível interpretação dessa lenda pode ser que Nagarjuna recebeu este livro de uma raça anterior – em outras palavras, que é uma escritura atlante. E se, como se suspeitou, alguns dos Upanishads vieram da mesma fonte, haveria poucos motivos para nos perguntarmos sobre a identidade do ensino a que Madame Blavatsky se refere na mesma página. O Jnaneshvari (transliterado Dhyaneshwart, na primeira edição) não é uma obra em sânscrito, mas foi escrito em maratri no século XIII de nossa era. Na próxima página, encontramos uma referência à escola Yogacharya (ou mais precisamente Yogachara) do Mahayana. Já mencionei a tentativa feita por Aryasanga, mas algumas palavras talvez devam ser ditas sobre a questão polêmica dos Yanas. A igreja budista apresenta-se hoje a nós em duas grandes divisões, a do Norte e a do Sul. A primeira inclui China, Japão e Tibete, a última reina no Ceilão, Sião, Birmânia e Camboja. Costuma-se afirmar que a Igreja do Norte adota o Mahayana e a Igreja do Sul, o Hinayana, mas, para ser dito com segurança, depende da nuance de significado que atribuímos a uma palavra muito disputada. Yana significa veículo, e concorda-se que deve ser aplicado ao Dharma, ou Lei, como o navio que nos transporta através do mar da vida até o Nirvana, mas existem pelo menos cinco teorias quanto ao sentido exato em que deve ser considerado:

1. Refere-se simplesmente à linguagem na qual a Lei está escrita, o veículo maior sendo, por esta hipótese, sânscrito, e o veículo menor pali – teoria que me parece insustentável.

2. Hina pode aparentemente ser tomada como significando de pouca qualidade ou fácil, bem como pequena. Uma interpretação, portanto, considera o Hinayana como o caminho mais simples ou mais fácil para a liberação – o mínimo irredutível de conhecimento e conduta necessários para alcançá-lo – enquanto o Mahayana é a doutrina mais completa e mais filosófica, que inclui muito conhecimento adicional sobre os reinos superiores da natureza. Desnecessário dizer que essa interpretação vem de uma fonte Mahayana.

3. Esse budismo, em sua cortesia infalível para com as outras religiões, aceita todas elas como formas de libertação, embora considere o método ensinado por seu fundador como sendo o caminho mais curto e seguro. De acordo com esta visão, o budismo é o Mahayana, e o Hinayana inclui o bra-

manismo, o zoroastrismo, o jainismo e quaisquer outras religiões que existiam na época em que a definição foi formulada.

4. As duas doutrinas são simplesmente dois estágios de uma doutrina – Hinayana para os Shravakas, ou ouvintes, e o Mahayana para os alunos mais avançados.

5. A palavra Yana deve ser entendida não exatamente em seu sentido primário de "veículo", mas sim em um sentido secundário, quase equivalente à palavra inglesa "career" [carreira]. De acordo com essa interpretação, o Mahayana apresenta ao homem a "grande carreira" de se tornar um bodhisattva e se dedicar ao bem-estar do mundo, enquanto o Hinayana mostra a ele apenas a "carreira menor" de viver de modo a atingir o Nirvana para si mesmo.

As Igrejas budistas do Norte e do Sul são parentes, assim como os católicos e os protestantes entre os cristãos. O Norte se assemelha à Igreja católica. Acrescentou aos ensinamentos do Senhor Buda. Por exemplo, adotou muito do culto aborígine que encontrava no país – cerimônias como aquelas em homenagem aos espíritos da natureza ou às forças deificadas da natureza. Quando missionários cristãos estiveram entre os budistas do Norte, eles encontraram cerimônias tão semelhantes às suas que disseram que era plágio devido à obra do diabo, e quando foi conclusivamente provado que essas cerimônias eram anteriores à era cristã, eles disseram que era "plágio por antecipação"!

No budismo, como em todas as outras escrituras, existem afirmações contraditórias, assim, a Igreja do Sul se baseou em certos textos; ansiosa por evitar excrescências, ignora os outros, ou os chama de interpolações. Isso a tornou mais estreita em seu escopo do que a Igreja do Norte. Para dar um exemplo o senhor Buda pregou constantemente contra a ideia que prevalecia evidentemente em seu tempo, da continuação da personalidade. Essa noção é comum também entre os cristãos – que nossa personalidade sobrevive por toda a eternidade. Mas enquanto ele ensinou que nada de tudo aquilo com que os homens geralmente se identificam dura para sempre, fez declarações mais inequívocas sobre as vidas sucessivas do homem. Ele deu exemplos de vidas anteriores; e quando algum rei lhe perguntou como era recuperar a memória de vidas anteriores, ele disse que era como se lembrar do que alguém tinha feito ontem e nos dias anteriores ao visitar esta ou aquela aldeia. No entanto, a Igreja do Sul agora ensina que apenas o carma persiste, não o ego; como se o homem em uma vida gerasse certa quantidade de carma, e então morresse, e nada restasse dele, mas outra pessoa nasceu e teve de suportar o carma que ela não gerou.

Ainda assim, enquanto os budistas do Sul ensinam que apenas o carma sobrevive, eles falam ao mesmo tempo sobre a realização do Nirvana, de modo que se você perguntar a um monge por que ele usa o manto amarelo, ele lhe responderá: "Para atingir o Nirvana". E se você disser: "Nesta vida?", ele vai responder prontamente: "Oh, não, vai precisar de muitas vidas". Da mesma maneira, depois de cada sermão que um monge prega, ele abençoa sua congregação com as palavras: "Que você alcance o Nirvana", e, novamente, se você perguntasse se eles poderiam alcançá-lo nesta vida, ele diria: "Não, eles precisarão de muitas vidas". Portanto, uma crença prática na existência continuada de um indivíduo persiste, apesar do ensino formal em contrário.

Madame Blavatsky dedica algumas páginas à questão das várias formas de escrita adotadas nos mosteiros do Himalaia. Na Europa e na América, o alfabeto latino está tão amplamente difundido, tão quase universalmente empregado, que talvez seja bom, para o bem de nossos leitores ocidentais, explicar que no Oriente prevalece uma situação muito diferente. Cada uma das numerosas línguas orientais – tâmil, telugu, cingalês, malaiala, hindi, guzerate, canarês, bengali, birmanês, nepalês, tibetano, siamês e muitas outras – tem seu próprio alfabeto e método de escrita, e um escritor, ao citar uma língua estrangeira, expressa essa língua em seus próprios caracteres, assim como um escritor inglês, se tivesse de citar uma frase em alemão ou russo, provavelmente a escreveria não em alemão ou russo, mas em latim. Assim, ao lidar com um manuscrito oriental, temos sempre dois pontos a considerar – a linguagem e a escrita, e esses dois nem sempre são iguais.

Se eu pegar um livro de folha de palmeira no Ceilão, é quase certo que ele será escrito na bela caligrafia cingalesa, mas isso não quer dizer que seja na língua cingalesa. É muito provável que seja em pah, sânscrito ou elu. O mesmo é verdadeiro para qualquer um dos outros escritos. Assim, quando Madame Blavatsky diz que os preceitos às vezes são escritos em tibetano, ela muito provavelmente quer dizer apenas em caracteres tibetanos, e não necessariamente na língua tibetana. Não vi nenhum exemplo das criptografias curiosas que ela descreve, nas quais cores e animais são feitos para representar letras. Ela fala no mesmo parágrafo das trinta letras simples do alfabeto tibetano. Essas são universalmente reconhecidas, mas não está claro o que significa a referência um pouco mais tarde a trinta e três letras simples, uma vez que, se ela as toma sem as quatro vogais, há apenas trinta, enquanto, se as vogais forem incluídas, devemos ter, claro, que não são trinta e três, mas trinta e quatro. Quanto às letras compostas, seu número pode ser declarado de várias maneiras, uma gramática que está diante de mim fornece mais de cem, mas provavelmente Madame Blavatsky se refere apenas àquelas de uso geral.

Lembro-me de uma ilustração interessante de sua declaração quanto a um dos modos da escrita chinesa. Quando eu estava no Ceilão, um dia veio nos visitar dois monges budistas do interior da China – homens que não falavam nenhuma língua que qualquer um de nós conhecesse. Mas, felizmente, havia alguns jovens estudantes japoneses hospedados conosco, seguindo o esplêndido esquema do Coronel Olcott de que cada Igreja, do Norte e do Sul, deveria enviar alguns de seus neófitos para aprender os caminhos e os ensinamentos uns dos outros. Esses jovens não conseguiam entender uma palavra do que os monges chineses diziam, mas podiam trocar ideias com eles por meio da escrita. Os símbolos escritos significavam o mesmo para eles, embora os chamasse por nomes bastante diferentes, assim como um francês e um inglês entenderiam perfeitamente uma linha de figuras, embora um deles chamasse de "un, deux, trois" e o outro de "one, two, three". O mesmo se aplica às notas musicais. Então, tive uma entrevista muito curiosa e interessante com esses monges, na qual todas as perguntas que fiz foram primeiro traduzidas para o cingalês por um de nossos membros, para que o estudante japonês pudesse entendê-las; depois, este último o escreveu com um pincel na forma de escrita comum aos chineses e japoneses, o monge chinês leu e escreveu sua resposta nos mesmos caracteres, que o estudante japonês traduziu para o cingalês e o nosso membro para o inglês. Nessas circunstâncias, a conversa foi lenta e um pouco incerta, mas ainda assim foi uma experiência interessante.

Título original: *The voice of the silence.*
Da obra traduzida para o português por
Fernando Pessoa e publicada pela Livraria Clássica
Editora, de A. M. Teixeira, em 1916, Lisboa.

*Grafia atualizada segundo o Acordo Ortográfico da
Língua Portuguesa de 1990, que entrou em vigor
no Brasil em 2009.*

EDITORES Lilian Dionysia e Giovani das Graças
TRADUÇÃO Fernando Pessoa
TRADUÇÃO DO POSFÁCIO Lilian Dionysia
PREPARAÇÃO Lucimara Leal
REVISÃO Heloisa Spaulonsi Dionysia
PROJETO GRÁFICO E CAPA Tereza Bettinardi

2021

ajnaeditora.com.br

Dados Internacionais e Catalogação na Publicação (CIP)
(Câmara Brasileira do Livro, SP, Brasil)

Blavatsky, Helena Petrovna, 1831-1891
A voz do silêncio : e outros fragmentos escolhidos do Livro dos preceitos áureos / Helena Petrovna Blavatsky ; [tradução para o inglês e notas da autora] ; tradução para o português de Fernando Pessoa. -- 1. ed. -- São Paulo : Ajna Editora, 2021.

Título original: The voice of the silence
ISBN 978-65-89732-00-6

1. Budismo - Tibete 2. Espiritualidade 3. Ocultismo
4. Teosofia I. Pessoa, Fernando. II. Título

21-58651 CDD - 135.4

Índices para catálogo sistemático:
1. Filosofia hermética 135.4

Primeira reimpressão [2022]

Esta obra foi composta
em Chiswick Text e impressa
pela Ipsis para a Ajna Editora
em setembro de 2022.